EL CÓDIGO DE LA AUTOESTIMA

CÓMO AUMENTAR LA CONFIANZA EN TI MISMO

RAIMON SAMSÓ

EDICIONES
INSTITUTO EXPERTOS

Dedicado a las personas despiertas que elevan la frecuencia de la especie humana.

ÍNDICE

INTRODUCCIÓN

¿QUIERES CREAR una vida llena de paz y plenitud? Si estás cansado de hacerte la guerra es hora de la autocompasión. Bienvenido al poder de la autoestima, con este libro, encontrarás un camino seguro para desatar el potencial ilimitado del amor propio.

¿Qué pasaría si te dijera que amarte y respetarte no es solo una bonita idea, sino una ciencia? Sí, una ciencia con sus protocolos, leyes y resultados predecibles. ¿Y si te entregara un Código para descifrar el secreto de la autoestima automática?

Seguramente ya sabes que la autoestima es el secreto de las personas de éxito, el 20%. Normalmente el éxito es de las personas que no se castigan o mejor dicho, que no se machacan así mismas. Y también sabes que el 80% se autoboicotea, apenas vislumbran sus sueños incumplidos. Ahora te hablo de gente que no necesita enemigos porque ¡ellas son su peor enemigo!

La gente que se ama lleva una vida que ama. No son perfectos, cometen errores, tienen áreas de mejora... pero no se castigan por ello sino que se aplican a su corrección y mejora. La buena autoestima y amor propio no tiene nada que ver con el narcisismo o el egoísmo, porque el autoconcepto no mejora ensimismándose con uno mismo, sino proyectando amor al mundo.

Caímos en el engaño de que las cosas iban a mejorar simplemente con el paso del tiempo, pero la verdad es que los cambios son fruto de un proceso evolutivo. Solo algunos descubren que no hay otra causa en los cambios que el propio estado de conciencia. Todo efecto proviene de una única causa que se resume en el cambio de conciencia. Por ello no debemos mirar al mundo y esperar que cambie, sino mirarnos a nosotros mismos, en nuestra dimensión interna, y crear esos cambios deseados.

No podemos cambiar a nadie más que a nosotros mismos. Una vez cumplida la autotransformación, los sueños empiezan a cumplirse, uno a uno. La realidad no tiene otra opción que reconfigurarse para adaptarse a nuestra transformación. Es la ley natural que emana de nuestra naturaleza divina lo que nos conduce a vivir en una realidad que está en armonía con nuestra autoimagen verdadera.

Tratar de cambiar la imagen del mundo sin antes habernos cambiado la imagen de nosotros mismos es un intento superficial que no puede tener éxito al carecer de una base, el cambio interior siempre precede al cambio exterior; y así es como debe ser. Todo cambio sin un cambio de conciencia que lo promueva es un ajuste superficial. Lo único cierto que he hallado en esto es que fuimos creados para vivir en coherencia con la propia autoimagen. Y es la coherencia lo que te proporcionará la felicidad. Ya sabes, la armonía entre tu dimensión interior y la exterior, cuando encajan, cesa el sufrimiento y se abren todas las puertas a tu paso.

La buena noticia es que la autoestima es la forma de pensar sobre sí mismo, y una forma de pensar se puede cambiar siempre. ¡Sí, siempre! Vamos a cambiar el filtro con el que miramos y lo que seremos capaces de ver después nos sorprenderá. Este libro es como la gamuza que limpiará los cristales de las gafas con las que te contemplas. Simplemente no te has visto tal como eres y fuiste víctima de tus propias suposiciones erróneas. He escrito este libro para que recuperes tu dignidad interior.

Cuando puedas verte tal y como fuiste creado, no te quedará otra opción más que amarte. El problema de la falta de autoestima y amor propio es debido a mirarse como uno se ha inventado a sí mismo.

¿Cómo medir la autoestima? No sé si se puede medir en una escala pero desde luego la autoestima se refleja en la forma de hablarse a uno mismo. Está implícita en todo lo que piensas, lo que te dices y en cómo te comportas. Cuida las cosas que te dices en el diálogo interno. Es ahí, en ti, donde el trabajo debe hacerse.

Otra forma de reconocer la falta de autoestima es a través de la falta de disciplina. Dejar de hacer lo que te conviene es una forma de atacarte, es autosabotaje. Si has leído mi libro «El Código de la disciplina» sabrás que el autosabotaje es una forma de no quererse al negarse uno aquello que más le conviene.

Si eres amable contigo mismo —y no utilizas la violencia verbal —, si eres considerado y te respetas... entonces te concedes autoestima. Si eres desconsiderado y te reprochas todo, además de criticarte a ti mismo por tus resultados... entonces te niegas autoestima.

He aquí tres modos (seguro que se te ocurren más) de no quererse...

Ponerse una etiqueta es el primero: «Yo soy así, yo soy asá...» Las etiquetas se pegan y se despegan pero son solo opiniones subjetivas intercambiables. Autoinculparse es el segundo: «Por mi culpa...» Un día sabrás que la culpa no existe en ningún lado del Universo, es un invento del ego. Hacerse la víctima es el tercero: «Mira lo que me han hecho...» Pero pronto descubrirás que nadie te hace nunca nada, todo te lo haces tú.

Me resulta increíble la especie humana que llega al extremo de no amarse y crear incontables formas de sabotearse. Si queremos entrar en una comunidad mayor en el cosmos deberemos empezar por autorespetarnos o nadie nos respetará. Y todo este lío es fruto del desconocimiento de nuestra auténtica naturaleza. La autoestima es un problema identitario.

Creo que no puede resolverse la falta de autoestima sin un crecimiento personal sostenido y profundo. Tal vez no necesitamos más amor sino más conocimiento, ya que el conocimiento esencial se convierte en amor por lo conocido. No se puede amar lo que no se conoce. He enfocado este libro no desde una visión mental del problema, sino espiritual. Tal vez esta sea la causa del por qué otros manuales que abundan en las librerías han fracasado antes.

Solo si la gente supiese quién es y de dónde procede este mundo sería muy diferente. He concluido que la gente se ha malentendido penosamente a sí misma debido al no haber investigado con seriedad la naturaleza de su Ser.

Por esto he escrito este libro en el que encontrarás varios tesoros, como pepitas de oro, ocultos en sus páginas:

1. Creer en ti mismo.

2. Conseguir la seguridad que buscas.

3. Fortalecer tu resolución interior.

4. Desarrollar una autoconfianza inquebrantable

5. Descubrir tu verdadero Yo.

6. Elegir desde el corazón.

7. Conectar con tu niño interior.

8. Transformar las dudas en certeza.

9. Ganar confianza en ti mismo.

10. Convertir los desprecios en una ventaja.

11. Poner limites a los demás.

12. El Código de la autoestima.

Si te parece un buen menú, entonces vamos a empezar, verás que cada capítulo termina con un *resumen* y con una *práctica* que forma parte de este *manual para aumentar la confianza*. Son ejercicios sencillos y rápidos. Y por lo tanto, efectivos.

Básicamente, los ejercicios persiguen una nueva comprensión por lo que la acción sanadora es interior y no exterior. Creo que la clave de la autoestima es el autoconocimiento, ya que una persona que recuerda siempre su origen divino no puede maltratarse porque eso implicaría despreciar su fuente, su origen y hasta su creador.

Además, en cada capítulo verás un *chat* de mensajes con las preguntas que te pueden surgir como lector y mis respuestas como autor. Es como un *chat* entre tú y yo, en paralelo a la lectura del libro. Imagina que mientras lees, tu teléfono móvil muestra esta conversación privada para completar la comprensión. Divertido, ¿no?

Este libro es radical (no se puede esperar menos de un autor radical). Pero no te alarmes, «radical» no significa extremista. Si analizas su etimología descubrirás que radical significa «ir a la raíz»; y esto es lo que he hecho aquí porque creo que la solución a este problema está en la dimensión espiritual, la raíz o causa de todos los efectos.

¿Estás listo para la autoestima radical? Espero que este libro sea útil en una primera fase. Y también espero que en una segunda fase no haga ninguna falta y lo regales, pues tu dilema ya no consistirá en quererte o no, sino en amar más al mundo y olvidarte de ti mismo.

Creo que la verdadera autoestima es aquella que no se necesita; pero como siempre, hemos de empezar por el principio…

Raimon Samsó, autor.

CAPÍTULO 1
POR QUÉ ES IMPORTANTE AMARSE A SÍ MISMO

LA AUTOESTIMA ES, y ha sido, fuente de ríos de tinta y de visitas al psicólogo... Muchas personas dicen que no se quieren... y escuchar eso es muy triste. Otras creen que se aman a sí mismas, pero apenas pueden demostrárselo con hechos. Vivimos desde pequeños el dogma de la autonegación que nos enseñó a anteponer la opinión de los demás antes que la nuestra. ¿Programación inducida para una sociedad dócil? Tal vez, pero sigamos.

Nuestra mala relación personal se proyectará en las relaciones con los demás. Si no aprendemos a amarnos a nosotros mismos, nunca podremos amar verdaderamente a los demás. La autoestima mejora las relaciones personales y el éxito en la vida y nos ayuda a sentirnos seguros en todas las áreas de nuestra vida. Debería ser una asignatura en la escuela.

En efecto, amarse a sí mismo hace que sea más fácil amar a los demás porque se es más tolerante con sus defectos y errores. La aceptación sin caer en la indulgencia. Cuando sientes empatía por ti, la trasladas a los demás de forma inconsciente y natural.

Por eso, cuando empiezas a amarte a ti mismo, te das cuenta de que todos somos seres imperfectos pero que a un nivel esencial nada queda por mejorar porque somos tal como fuimos creados en la perfección original. Hasta llegar a esa comprensión hay un largo proceso de desarrollo personal de autoconocimiento.

Una alta autoestima es importante porque permite ver lo bueno en los demás y hasta pasar por alto sus defectos y erro-res. Cuando puedes hacer esto, se vuelve mucho más fácil tratar a los demás de la manera en que desean ser tratados: con cordialidad y amabilidad. En el fondo, todos queremos lo mismo: amar y ser amados.

Por eso es necesario aprender primero a amarse a uno mismo… ¡eres tu campo de entrenamiento! Después, cuando le coges soltura, adquieres la capacidad de ser comprensivo con los demás.

 La prueba de que eres profundamente amado es que estás vivo.

Aprender a amarse es importante porque mejora de forma tangencial las relaciones con familiares, amigos y personas del entorno. ¿Por qué? Porque la paz que hay en ti (recuerda que has dejado de hacerte la guerra) se transmite a los demás, y entonces ellos disfrutan más estando contigo.

De ahí que una alta autoestima redundará en una mejor comu-nicación emocional, lo que conducirá a mejores relaciones con las personas cercanas. Recuerda la ley hermética: *Como es adentro, es afuera.* Y yo añado: Como es contigo es con los demás.

Las personas con alta autoestima trabajan para mejorar su carácter añadiendo rasgos positivos. Fíjate en que el pensamiento positivo y la actitud constructiva, además del establecimiento de objetivos y la autodisciplina, son formas efectivas de conseguirlo.

La autoestima es un poderoso motor que nos permite alcanzar metas, de ahí su importancia. Las personas con baja autoestima tienden a fracasar en sus proyectos porque no están dispuestas a ponerse a prueba... ni siquiera para conseguir lo que quieren. Por el contrario, las personas que tienen una alta autoestima, se enfocan con prioridad en sus objetivos sin importar los desafíos que aparezcan en el camino.

Las personas con alta autoestima están dispuestas a hacer un esfuerzo porque están comprometidas con alcanzar sus metas. Un alto nivel de autoestima es lo que les permiten lidiar de manera eficaz con situaciones difíciles. ¡Piénsalo!

Reconócelo, amarte a ti mismo solo tiene ventajas. Francamente, no entiendo como las personas se resisten a mejorar sus vidas simplemente amándose un poquito más. Las personas cercanas a ti querrán saber cómo conseguiste esa paz interior que desprendes y desearán saber cómo podrían dejar de estar en guerra consigo mismas.

Todos quieren tener cerca a alguien que les motive a ser mejores y a ser felices. Para ilustrar lo anterior, imagina convertirte en un «maestro de felicidad» y eso solo con elevar tu autoestima… Imagina dejar un rastro de comprensión a tu paso. Imagina sembrar autoestima por el mundo.

Según mi experiencia, al amarte a ti mismo y transmitir esa paz a las personas cercanas, facilitas que esas personas se abran a compartir contigo sus emociones porque les atrae tu calma y paz mental. La paz interior les hace mejores personas.

La pregunta sobre la importancia de quererse a sí mismo se contesta con la comprensión de que nuestro éxito nunca será superior a la imagen que tenemos de nosotros mismos. Mejorar el rendimiento viene después de mejorar el autoconcepto. Siempre en este orden.

Quiero, además, que sepas que amarte a ti mismo también te ayudará a lograr el éxito personal y profesional en la vida. Cuando tienes una autoestima alta, es mucho más fácil para ti aprender nuevas habilidades y asumir nuevos desafíos en la vida. Atraes mejores oportunidades. Entonces, mejorar los hábitos ya no es un sacrificio sino un autorregalo. Así de simple.

> Bueno, pues cuando tenga éxito, mi autoestima subirá.

> No funciona así porque el éxito necesita una causa y si no la activas, no llegará. Mira, vamos a cambiar el orden: primero activas tu autoestima y después, en consecuencia, el éxito llegará.

> Pero, ¿cómo voy a valorarme más si aún no tengo resultados?

> Ahí está la clave, se trata de amor incondicional, amarse por que sí, sin necesitar justificaciones, por la cara...

¡Amor por la cara!

> Así es. Pruébalo y observa lo que sucede... ya probaste a quererte a cambio de otra cosa y no te funcionó, trata de ver qué sucede cuando ese amor es incondicional.

Cuando fui padre entendí ese concepto, el de amor incondicional.

> Quiero que entiendas que eres amado de ese mismo modo por quienes te crearon. Eres muy amado; y siempre lo serás, pase lo que pase, porque esa es la clase de amor de la divinidad por la filiación. Y solo tienes que sentirte amado para empezar a amarte.

Sin buscarlo, una alta autoestima puede motivar a otras personas a tu alrededor a imitarte ya que nada convence más y mejor que predicar con el ejemplo. Muéstrales lo que es posible conseguir si trabajan su autoestima.

Todos nos beneficiamos cuando nos amamos a nosotros mismos porque mejora todo lo que hacemos y esa mejoría se expande al mundo. Y más importante aún: nos hace mejores seres pues restablece nuestra verdadera identidad.

El secreto está en la autoestima con cordura, sin caer en lo grotesco, pues «amarse locamente» a uno mismo puede hacernos narcisistas o egoístas y anteponer nuestras necesidades a las necesidades de los demás. Podríamos caer en la vanidad y el orgullo egóico.

No me cansaré de enfatizar este concepto: se trata de quererte, no de enamorarte de ti. ¿Ves la diferencia? Las personas que tienen una falsa autoestima (orgullo del ego) pueden parecer soberbias porque se colocan por encima de los demás con arrogancia. Estoy tratando de restablecer en tu mente el concepto olvidado de *amor perfecto* en el cual el miedo es imposible.

En efecto, algunas personas pueden volverse arrogantes cuando se «enamoran» de sí mismas. Es importante, como seres humanos, aprender a amarnos con un amor libre de ego y eludir el egoísmo o culto al ego (al «Yo inventado»).

Además, amarse egoístamente a sí mismo hace difícil buscar ayuda cuando estamos experimentando problemas personales. Por dos razones: porque nos culparemos a nosotros por cualquier problema que experimentemos y porque nuestro ego de «don perfecto» nos impedirá «rebajarnos» a pedir ayuda. Las personas que tienen baja autoestima suelen tener dificultades para aceptar la ayuda de los demás porque se creen inadecuadas. Pero ninguna vida es poca cosa, es más bien un milagro más allá de nuestras posibilidades.

Y eso no es todo, amarse a sí mismo desde el ego —*enamorarse* de sí mismo— puede hacer que ignoremos las personas y cosas importantes en la vida, a los que se trata con desdén. Cuando eso sucede, se están plantando las semillas para recibir una cura de humildad que será todo menos agradable.

En este capítulo has aprendido que amarse a uno mismo significa tanto como curarse a sí mismo de la ausencia de amor; son precisamente aquellos que no se aman quién padecen por ser amados. Se desviven suplicando el amor que no se dan y que los curaría. Si supieran quienes son en verdad no vivirían en la ausencia de amor. La súplica de amor se debe precisamente a lo que cree que no puede darse a sí mismo.

En resumen:

✓ *Muchas personas dicen que no se aman... y eso es muy triste.*

✓ *Otros piensan que se aman a sí mismos, pero apenas pueden demostrarlo.*

✓ *Si no aprendemos a amarnos a nosotros mismos, nunca podremos amar a los demás.*

✓ *Una alta autoestima permite ver lo bueno en los demás y pasar por alto sus defectos y errores.*

✓ *Cuando se tiene la autoestima alta es mucho más fácil aprender nuevas habilidades y asumir nuevos retos en la vida.*

✓ *La gente se resiste a mejorar su vida simplemente amándose un poco más.*

✓ *Amarte a ti mismo te ayudará a lograr el éxito personal y profesional en la vida.*

✓ *Si negamos el amor a los demás nos lo negaremos a nosotros mismos.*

Raimon

Acción de confianza:

Escribe 3 formas de no quererte, atacarte, maltratarte, limitarte... después anota a su lado 3 ventajas y 3 desventajas.

Si no las encuentras, insiste, en toda situación siempre hay aspectos positivos y negativos.

Encuéntralos todos examinándolo todo de forma imparcial. Examina la totalidad. Pasa de contemplar el árbol a ver el bosque.

A la vista de lo expuesto, ¿qué decides hacer con esta nueva comprensión?

CAPÍTULO 2
AUTOESTIMA Y AUTOSABOTAJE: O ESTÁS A TU FAVOR O EN TU CONTRA

CUANDO SE ESCUCHA LA PALABRA «AUTOESTIMA», algunos piensan inmediatamente en una persona que está apegada a sí misma —enamorada de sí misma—, pero es más bien un concepto semejante a «segura de sí misma» y «confiada». Y, al contrario, la falta de autoestima puede significar que esa persona se siente «insegura» y le falta «confianza». No busques la seguridad, busca mejor el amor... y la confianza en tus opciones se abrirá como una flor de cien pétalos.

Muchas personas, y no te imaginas cuantas, luchan a brazo partido contra la baja autoestima debido a sus malas experiencias del pasado. La baja autoestima en edades tempranas conduce, más tarde, a sentimientos de baja motivación e inseguridad en la edad adulta. Aquello que no se sembró no podrá ser cosechado después.

El autosabotaje, la antítesis de la autoestima, es un fenómeno que ha desconcertado a los psicólogos durante décadas. ¿Por qué una persona se perjudicaría a sí misma? Tal vez porque cree que el coste de perjudicarse es menor que el precio que pagará si decide ayudarse. Peor aún, ¿por qué una persona se odiaría? No tengo respuesta salvo intuir que ha enfermado por ausencia de amor.

Quiero explicarte que son los comportamientos de una persona lo que obstaculizan su éxito. Esencialmente, las personas que se sabotean a sí mismas son sus peores enemigos. Hay modos muy sutiles de autosabotearse, de atacarse por omisión. No consiste en hacer algo que te perjudique directamentea, sino que dejas de hacer aquello que te beneficia. Es como un coste de oportunidad.

Por ejemplo, alguien menciona su deseo de convertirse en escritor. Sin embargo, en lugar de investigar cómo escribir profesionalmente o empezar a escribir, pospone la acción y no sigue adelante con su idea. La inacción hace que nunca sea escritor ya que autosabotearse por omisión es más sencillo que comprometerse consigo mismo.

Créeme, autosabotear los propios sueños es lo mismo que traicionarse. Por ejemplo, algunos lectores de los libros de autoayuda no se aplican lo que descubren en sus lecturas. Prefieren entenderlo a experimentarlo. Buscan explicaciones para la mente que es la que creó el inmenso lío, confían demasiado en su mente engañosa.

Además, les da pereza mejorar sus vidas. ¿Puedes creerlo? Algunos me han confesado que tiene alguno de mis libros en una estantería sin leer durante años. Esencialmente, estas omisiones son formas en que las personas se sabotean a sí mismas sin darse cuenta.

El autosabotaje físico implica comer alimentos poco saludables, hacer muy poco o demasiado ejercicio. No comer de manera saludable y no ejercitarse pueden causar desequilibrios que conducen a bajos niveles de energía y cambios de humor. Hacer demasiado ejercicio puede provocar lesiones y haste envejecimiento prematuro que pasarán factura más adelante. Todos los sabemos y pocos hacen algo al respecto. Abandonarse es una falta de amor. Piensa en ello.

 El autosabotaje es un mal hábito que impide a las personas alcanzar su mayor potencial.

Ahora empiezas a entender que hay muchas maneras de no respetarse —y sabotearse— a sí mismo. La humanidad es muy creativa en los modos de perjudicarse. Hay muchas formas de no quererse, pues el miedo utiliza todos los modos para oscurecer la luz que irradiamos.

La guerra está en la mente, no en el mundo. No reconocerás aún el campo de batalla donde solo puedes perder una y otra vez, a menos de que tomes el control del tipo de pensamientos que permites en tu mente. Como dice *Un Curso de Milagros* (UCDM): «Además de reconocer que los pensamientos no son nunca fútiles, la salvación requiere que también reconozcas que cada pensamiento que tienes acarrea paz o guerra, amor o miedo. Un resultado neutral es imposible porque es imposible que haya pensamientos neutros».

Todo pensamiento es, en última instancia, una elección entre el amor o el temor. Y hasta la más simple de las decisiones que tomes ha de tomar partido en un sentido u otro. Una vez se ha elegido entre el amor o el temor, el resto de decisiones no son tal, ya no eliges (pues ya lo hiciste) sólo tienes la ilusión de que eliges.

Las personas suelen presionarse a sí mismas, comparándose con los demás o disfrutan siendo demasiado duras —que no exigentes— consigo mismas. Incluso resultan injustas y crueles cuando se enjuician. Y entonces pierden la confianza en sí mismas y hasta el propio respeto al menospreciarse. Escribir esto me produce una pena infinita porque es muy triste que siendo todo lleguemos a sentirnos nada.

> Pero, ¿por qué una persona se perjudicaría? No tiene sentido.

> Porque está confundida. También el sistema inmune, cuando se confunde, ataca al propio organismo (enfermedades autoinmunes). La intención es ayudar, pero se empeora todo. Podemos ser nuestro peor enemigo. Y ten claro que somos la persona que nos causará más dificultades a lo largo de la vida.

> Es tan gracioso como triste. Tú siempre dices que nadie te hace nunca nada. Ahora me encaja.

> Cierto. Mira, dentro de nosotros hay un opositor (el ego) que eligió el miedo; y como es infeliz, ofrece lo único que tiene: sufrimiento. Vuelve atrás al momento en el que tomaste una elección entre el miedo y el amor y vuelve a decidir, ahora correctamente.

¿Cómo sé que elijo el temor? Y me doy cuenta del error que estoy cometiendo...

Porque te sientes mal, y esa sensación no engaña. Si sufres, has elegido el miedo por encima del amor. No ves la realidad, sino la historia que tu ego ha inventado. Míralo desde otra percepción.

Ya veo, o te quieres o no te quieres... no hay otra. ¡Y estoy decidiendo eso mismo a cada segundo! No era consciente de que todo es una elección entre el amor o el temor...

Exacto, tal cual lo dices, a cada momento eliges entre la autoestima o el autosabotaje.

Autosabotaje siempre es igual a autoengaño, para mí es una forma de no respetarse porque no se ha indagado lo suficiente en la verdadera identidad y origen humano. Menospreciarse a sí mismo lleva a percepciones desajustadas que acaban en sufrimiento por razones imaginarias. Cuando uno se pierde a sí mismo, se pierde el respeto que tiene porque está negando su naturaleza divina. Vuelve a leerlo porque aquí está el quid de la cuestión: es más fácil cambiar que sufrir.

Dicho esto, tener muy poco respeto por uno mismo va a limitar la confianza; todo depende de con qué gafas se mire uno al espejo. Sus gafas son la percepción errónea. Mientras eso sucede, otras personas usan su autoestima como combustible para hacer cambios positivos en sus vidas; se sienten empoderados y motivados para crecer con el abono del amor. Sus gafas son la percepción correcta. ¿Eres una de aquellas o de estas?

Ya he mencionado que el narcisismo le vuelve a uno engreído y arrogante si alimenta su ego. Por otro lado, tener muy poco respeto por sí mismo puede conducir a comparaciones con otros a quienes parece que les va mejor en la vida y crea una sensación de minusvalía.

Tener demasiado o muy poco respeto por sí mismo puede causar problemas con las relaciones con otras personas, así como problemas con la relación con uno mismo. Demasiado respeto por sí mismo puede convertirse en orgullo insano y soberbia ante los demás si se lleva al extremo. Como en el budismo, el camino medio es el acertado.

Como en todo en la vida hay un punto medio de equilibrio, entre la falsa humildad y la arrogancia engreída hay un punto de equilibro que evita ambos infiernos. Cómo te posicionas es tu elección; nadie más puede decidirlo.

Cuando uno entiende que *es* amor deja de competir por el amor y deja de usarlo como arma de ataque o defensa. Cuando las personas tienen claro el daño que se infringen, dejan de arruinar sus vidas. ¡No más drama! Acaban con el autosabotaje. Esto es algo que enseño en mis seminarios.

 Más autoestima y menos autosabotaje.

Si la gente se quisiera un poquito más, dejaría de fastidiarse la vida con sus autoengaños a la hora de valorarse. No sé cuál es la estrategia detrás de la falta de autoestima, tal vez castigarse debido a un sentimiento de culpa, pero en mí no despierta compasión sino lástima. Da pena ver como se tira la felicidad por el desagüe cuando somos obra del amor infinito.

No recomiendo usar la culpa como estrategia, como tampoco recomiendo usar la competición como motivación. No hay nada bueno en ser el mejor, tampoco en ser el peor, porque ambas posiciones son ilusorias, irreales, imaginarias. Ser peor o ser mejor son dos formas de separarte de la verdad. Como todo el mundo huye de algo —y a la vez se dirige hacia alguna parte—, si has de elegir huir de algo que sea del autosabotaje. Y si has de dirigirte a alguna parte que sea a la autoestima radical.

En resumen:

✓ *La falta de autoestima también puede significar que una persona se siente «inútil» y carece de confianza.*

✓ *Las personas a menudo se presionan a sí mismas, comparándose con los demás o siendo demasiado duras consigo mismas.*

✓ *La baja autoestima es el autoengaño debido al desconocimiento de la naturaleza esencial humana.*

✓ *Autosabotearse es retirarse la confianza en sí mismos, e incluso el respeto, porque se subestiman.*

✓ *El gran problema del mundo es que la gente se quiere muy poco.*

✓ *Más autoestima y menos autosabotaje.*

Raimon

Acción de confianza:

Escribe 3 aspectos/comportamientos que te gustan de ti y 3 aspectos/comportamientos que no te gustan...

Anota 3 reconocimientos para los primeros y 3 correcciones para los segundos.

Examina la totalidad.

A la vista de lo expuesto, ¿qué decides hacer con esta nueva comprensión?

Soy trabajadora   he logrado muchas cosas
Soy Compasiva   he ayudado a muchos
Soy amorosa   Con Todo que me necesite.

- No me dejo abusar   Debo ignorar
- Confronto a los que me abusan   No relacionarme
- Detecto la hipocresía   Salir de ahí .

CAPÍTULO 3
AUTOESTIMA POSITIVA SIN EGO Y FALSO ORGULLO

SUPONGO que estamos de acuerdo en los beneficios que proporciona una autoestima positiva, de la que se deriva la confianza en sí mismo. También conocemos los inconvenientes de tener una autoestima orgullosa y engreída; volvernos egocéntricos y narcisistas. Así que es importante que las personas definamos una autoestima esencial y positiva, limpia de polvo y paja, sin intoxicar y saludable.

Para mí, la autoestima positiva es aquella que revela la naturaleza divina del ser. Ello permite que una persona se concentre en apreciar las cosas positivas de su vida y por esa razón, aumentarlas. En mi opinión, la autoestima y amor propio no es una creencia sin fundamento sino la constatación del poder de la verdad revelada.

Por ejemplo, algunas personas se sienten menos que los demás. Otras tienen miedo de abrirse y socializar con personas desconocidas. La autoestima positiva les ayudará a igualarse sin complejos de inferioridad. Esto mejorará su actitud y predisposición, ayudándoles a que tengan más confianza en sí mismos.

Una percepción positiva de sí mismo ayuda a las personas a tener éxito en todas las facetas de la vida. Un sentido positivo de sí mismo es la creencia de que uno es capaz de lograr sus metas y aspiraciones por mérito propio. Tal vez no sabe cómo hacerlo pero sabe que es capaz de ello si conecta con su poder interno.

Es nuestra autoimagen la que nos libera o nos constriñe. Las creencias impulsan o limitan de modo que no hay otra cosa que elegirlas con cuidado y cambiarlas cuando se demuestran inútiles. No cabe duda que las personas con alta autoestima están más dispuestas a conseguir aquello que quieren, en lugar de pedirlo. Esto les ayudará a probarse a sí mismos una y otra vez, para de este modo expandir sus supuestos límites y demostrarse de lo que son capaces.

La autoestima positiva —sin ego y falso orgullo— nos impulsa cuando más nos hace falta para superar las dificultades de la vida. Porque una persona con alta autoestima está más dispuesta a enfrentarse a los problemas que surgirán. Al contrario, las personas sin una buena autoestima tendrán dificultades para manejar la frustración cuando no logren alcanzar sus metas inmediatamente después de intentarlo por primera vez. No aceptan el error y lo toman como algo personal. Se castigan a sí mismas con el fracaso que es la falta de confianza. El remedio que conozco es no tomarse nada como tú mismo.

Los errores no hablan de nosotros sino de nuestra ignorancia esencial.

Cuando hay autoestima desde el ego y el falso orgullo, se cae en el egocentrismo y el narcisismo. El egocentrismo es la creencia errónea de que uno es el centro del mundo hasta el punto de perder el contacto con la realidad. El narcisismo aflora en los que van por la vida pensando que son perfectos, sin nada más que aprender.

El falso orgullo es el que proviene del ego inflado, es arrogancia que desconecta del poder interior, separa y desactiva el poder natural de cambiar las cosas a mejor. El orgullo es miedo y el miedo no es real. Solo el amor, que es la conexión con la dimensión interior, es real.

Oirás por ahí que el ego puede ser positivo o negativo, bueno o malo, pero yo no sé cómo una falsedad puede cualificarse si es irreal. Como dice *Un Curso de Milagros*: «¿Qué es el ego? El ego no es más que un sueño de lo que en realidad eres. 6Un pensamiento de que estás separado de tu Creador y un deseo de ser lo que Él no creó. El ego es un producto de la locura».

El ego extremo es locura extra, un mal más común de lo que puedas imaginar en nuestra sociedad, se diagnostica como psicopatía. El mundo de la política, por ejemplo, está lleno de psicópatas no diagnosticados. ¿Entiendes ahora que estamos en manos de locos?

El narcisismo es claramente un problema de salud mental cercano a la psicopatía; pero vamos a dejarlo en que es un empacho de ego. Se reconoce por un ego pomposo, una inflación de la propia importancia y una preocupación insana por la imagen.

Las causas del narcisismo no están del todo claras al nivel de la mente, pero algunos factores pueden consistir en el trauma infantil y las influencias sociales negativas. A nivel del corazón, el narcisismo siempre es una falta de amor propio aunque parezca lo contrario. Espero que este no sea tu problema.

Algunos creen que el narcisismo es causado por experiencias que crean una falsa sensación de la propia importancia personal. Otros creen que los medios de comunicación, la mala educación o la publicidad crean una preocupación excesiva por la imagen que conduce a construir una identidad irreal. Cualquiera que sea su causa, los efectos del narcisismo pueden ser devastadores tanto para la persona que lo sufre como para los seres cercanos que lo sufren.

Una de las causas del narcisismo es una experiencia adversa que a su vez conduce a un sentido engreído de la autoimportancia en lo sucesivo. Puede conducir al narcisismo, la psicopatía o el trastorno de personalidad bipolar. En algunos casos, la baja autoestima conduce a un intento de crear una falsa sensación de autoimportancia y la búsqueda de poder sobre los demás a través del narcisismo. Y así se pasa de un extremo al otro, de no creerse nadie a creerse todo, de lo malo a lo peor.

No se trata de inventar un «Yo impostado», sino de recordar el «Yo real».

Si para conseguir una relación, amistad, trabajo… debes ser incoherente con tu naturaleza, es que no es para ti.

Otros factores que pueden contribuir al narcisismo incluyen la mala educación y las influencias negativas. Los estudios han demostrado que los niños que crecen con padres narcisistas tienen más probabilidades de desarrollar rasgos narcisistas. De tal palo, tal astilla. Además, los niños que están rodeados de personas que constantemente se anteponen a sí mismos, en primer lugar tienen más probabilidades de hacer lo mismo en la etapa adulta.

Ciertas personalidades públicas y sociales (futbolistas, cantantes y políticos sobre todo…) suelen promover niveles surrealistas de narcisismo o una preocupación excesiva por la imagen y la fama. Me refiero a celebridades que buscan la adoración pública. Creen que el volumen de sus seguidores y halagos coincide con su valor.

Esto es especialmente grave en el caso de los políticos pues nos lleva a estar en manos de auténticos psicópatas no diagnosticados que deberían estar bajo tratamiento psiquiátrico y apartados de la función pública de por vida.

Los narcisistas, en el fondo, tienen baja autoestima; de otro modo, no buscarían la aprobación pública y su favor y atención. No, lector, no necesitas tener más seguidores en las redes sociales, ni conseguir sus *likes*, ni caerle bien a todo el mundo… Buscar la aceptación de los demás es neurótico.

Las redes sociales son una trampa para las autoestimas anémicas, siempre en busca de aceptación. Las redes puedes resultar un escenario muy cruel; y desde luego, no van a servir para reforzar la autoestima, más bien todo lo contrario. Lejos de eso, las RR.SS. animan a mostrar una imagen irreal de uno mismo, crear una tapadera. Por su parte, los comentarios agresivos y los «no me gusta» pueden empeorar el problema. Recuerda que la autoestima no es cómo te muestras al mundo, tampoco como te ven, sino como eres.

Permíteme ayudarte a no confundir buscar la aceptación ajena con tu valor real. Tu valor infinito ya fue establecido y no por ti precisamente. Enfocarse en tratar de ser alguien para los demás acaba llevando a ser nada para uno mismo. Las redes sociales tienen un aspecto oscuro relacionado con este problema del narcisismo y la falsa autoestima.

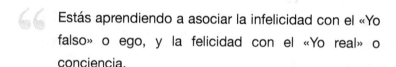
>   Estás aprendiendo a asociar la infelicidad con el «Yo falso» o ego, y la felicidad con el «Yo real» o conciencia.

Las celebridades a las que me referí pueden conseguir éxito social e incluso atraer parejas y circunstancias que parecen envidiables por los demás. Pero nadie conoce las interioridades de su vida ni el precio que están pagando por vivir desde el narcisismo y el *glamour* irrelevante.

Muchos famosos han vendido literalmente su alma al diablo y el precio que pagarán es incalculable. No hablo en sentido figurado sino real, sino me crees observa los símbolos que son obligados a mostrar públicamente; y que son, ni más ni menos, la firma de Satán quién tomó posesión de esos desgraciados. Detrás de la fachada suele haber un gran vacío interior, cuando no un enorme sufrimiento debido a la falta de autoestima.

La exposición a los medios de comunicación y a las redes sociales puede ser un factor de activación del narcisismo. Vemos en las plataformas de redes sociales como ciertas personas se jactan de sus posesiones, sus logros, su belleza o su estatus social... y publican buscando la adoración de los demás. Las plataformas de redes sociales, aunque pueden ser útiles, pueden ser también muy destructivas y conducir a vivir a una falsa vida digital.

La falsa autoestima conduce a ser diferente cuando no a tratar de ser mejor que los demás. Y la vida no es una competición con nadie; ni siquiera con uno mismo. Tratar de ser *especial* para los demás crear distancia y separarse de ellos, subirse a un pedestal. Creerse *especial*, ser mejor o ser peor, creerse superior o inferior, es la falsa autoestima que no tiene nada que ver con el amor, sino con el miedo.

Sabiendo esto no debes confundir tu deseo natural de *volver al amor*, recuperar tu autoestima verdadera, con el deseo de ser *especial* que es construir una falsa autoestima. Recordar quién eres en verdad te conduce a la paz, mientras que inventarse un nuevo yo, esta vez mas especial, conduce al sufrimiento. No he escrito este libro para fomentar una fantasía mejor a la que ya tienes, pues todas son ilusorias; sino para deshacer todas las mentiras que te has contado acerca de ti mismo.

La fantasía de creerse especial tiene dos versiones: retirar la confianza en sí mismo o desconfiar de todos los demás. Pero no te engañes, ambas versiones son el mismo error. Significan creerse *especial* para «bien» o para «mal». Tanto monta, monta tanto. La falta de confianza es siempre una falta de amor, cuando no el desconocimiento de la realidad. Quien desconozca su identidad divina no puede confiar en sí mismo porque verá enemigos en todas partes... ¡incluso en sí mismo!

> Imagino que esta información supone un chasco para ti. Tal vez querías ser especial para alguien, incluso aspiraste a ser especial para tus clientes...

Pue sí, siempre he tratado de ser especial para las personas que amo.

> En un mundo en el que todos quieren ser especiales, nadie lo es. En realidad el «especialismo» es una enfermedad mental que destruye las relaciones a base de insuflarles ego y más ego.

Ahí me has dado. Y me ha dolido, que lo sepas.

> Lo sé. Cuando dejas de tratar ser alguien para los demás empiezas a ser alguien para ti mismo. Dejas de buscar aprobación y entonces encuentras la autoestima.

De alguna manera lo he sabido siempre porque al leerlo lo reconozco como cierto. Sé que lo sé.

> El alma siempre sabe sin caer en los engaños del ego. Solo la mente se engaña a sí misma con las creencias más increíbles.

Las creencias son posesiones imaginarias, identificaciones mentales ilusorias que el ego no está dispuesto a renunciar. Y no importa si son increíbles o falúas, el ego luchará por defenderlas.

Vivir desde la separación no conduce al amor, sino al miedo. Cuando te separas de tu origen divino entras en pánico e inhibes la paz del amor. Creerse *especial* es el pasaporte para la infelicidad sin fin. Así de simple.

Quiero aclararte que es tan falso creer que no vales nada como creer que eres el más valioso. En ambos casos el ego se cree «especial», un caso aparte, diferente... para su bien o para su mal. Pero ambos casos son la misma ilusión fantasiosa que conduce al sufrimiento seguro.

Quédate con la idea de que hay una autoestima verdadera y positiva; y otra falsa y negativa. Esta última, lejos de mejorar nada, lo empeora todo, es una ilusión engañosa. Pregúntate siempre desde dónde te quieres a ti mismo: desde el ego y el orgullo o desde tu esencia divina.

Resumiendo:

✓ *Cuando hay autoestima desde el ego y el falso orgullo, se cae en el egocentrismo y el narcisismo.*

✓ *El narcisismo es causado por percepciones que*

crean una falsa sensación de importancia personal y que rayan la psicopatía.

✓ Los estudios han demostrado que los niños que crecen con padres narcisistas tienen más probabilidades de desarrollar rasgos narcisistas.

✓ El egocentrismo es la creencia errónea de que uno es el centro del mundo, hasta el punto de perder el contacto con la realidad.

✓ Las redes sociales pueden ser muy destructivas y llevar a vivir una vida digital falsa.

✓ La autoestima positiva, sin ego y falso orgullo, ayuda cuando más se necesita para superar las dificultades de la vida.

✓ Pregúntate siempre desde dónde te amas: desde el ego y el orgullo destructivo o desde el reconocimiento de tu esencia divina.

✓ Recuerda que la autoestima no es cómo te muestras al mundo, tampoco como te ven, sino como eres.

Raimon.

Acción de confianza:

~Con las personas~ ← Pregúntate en qué situaciones y con qué personas ~que me odian y menosprecian~ = MAS ODIO pretendes darte importancia y cuál es la razón de ello.

Qué avatar ficticio estás inventando que terminará por desinflarse. ninguno = NADA

Pregúntate por las consecuencias de mostrarte como no eres.

¿Cómo podrías conseguir lo que quieres siendo tú *No finjo.* mismo y sin tener que fingir ser quien no eres?

Recuerda que si crees que tienes que ser otra clase de persona es que no amas la que eres.

A la vista de esta comprensión ¿qué harás con la adicción a enjuiciarte? *No me juzgo. Me amo.*

Pero no me gusta que abusen y siempre encaro la maldad de otras personas.

CAPÍTULO 4
EL AMOR PROPIO, UN CAMINO DE TRANSFORMACIÓN PERSONAL

A MENUDO, leemos la frase «ámate a ti mismo» en los libros de autoayuda. Incluso creo recordar que hay un movimiento de «ámate a ti mismo» que promueve la autoconfianza y la autoaceptación. La autoestima ha hecho correr ríos de tinta y no pocas frustraciones. Muchos de esos libros carecen de corazón y eso los invalida como ayuda ya que solo engordan la mente. He escrito este manual de autoestima desde el paradigma espiritual porque solo desde ahí se descodifica el problema. Si no se alcanza el alma, el problema permanece intacto en la mente.

Pero, ¿por qué es importante amarse a sí mismo? ¿Por qué confiar nos conviene en las propias posibilidades? Y sobre todo: ¿por qué tan pocas personas lo consiguen?

Algunos pueden creer que amarse es egoísta y narcisista. Depende, yo creo que detestarse sí que es estúpido. No imaginas cuánta gente ha llegado al punto de odiarse. Viven en una permanente guerra civil consigo mismos.

Todo cuanto puedo decir es que si alguien cree que respetarse a sí mismo conduce al aislamiento y la inmoralidad es que ha sucumbido a la propaganda oficial que trata de menoscabar el poder personal de la humanidad. Hay un interés muy antiguo y oscuro en eliminar el poder de la humanidad para someterla pero prefiero no hablar de ello aquí.

Para mí es bastante obvio que el camino del amor propio es un camino de transformación personal y auténtico desarrollo personal. El fin es recuperar el poder usurpado y recordar nuestra identidad real. Amarse a sí mismo refleja el conocimiento de quién somos, qué queremos de la vida y cómo contribuir positivamente a la evolución de la especie humana. ¿Qué piensas tú?

Creo que amarse a sí mismo es un camino hacia el conocimiento personal. Cuando te amas, es porque reconoces la esencia divina que mora en ti. Has hecho el trabajo personal, has investigado. Saber quién eres en verdad te permite tener más confianza en tus relaciones y en tu profesión. Te ayuda a crecer como persona para que puedas ser la mejor versión posible, la real, de ti mismo en esta experiencia mundana.

> ¿Sabes lo que más me preguntan mis lectores?

> Dímelo tú...

Quieren saber cómo descubrir quienes son. No entienden que la parte de ellos que formula esa pregunta nunca hallará una respuesta; pues la duda, la ignorancia y el miedo rechazan la respuesta. Su supuesta identidad obstaculiza la visión de su verdadera identidad.

¿Y entonces, según tú, qué deben hacer?

Librarse del ego o «Yo inventado». Dejar de preguntar quiénes son y empezar a descartar lo que no son. Cuando la lista sea larga y quede casi nada por descartar, llegaran al vacío. A un vacío lleno, y en ese vacío rebosante hay paz. Si frecuentan esa paz, hallarán la respuesta que buscan.

¿No ser nadie para poder serlo todo?

Lo has pillado, cuando te rindes a la necesidad de ser alguien, descubres que eres nada en el mundo pero todo en el ámbito espiritual. Se revela el «yo impersonal» del que hablan los místicos.

Como dijo una vez el poeta griego Píndaro: «El autoconocimiento es la base de todo conocimiento». ¿Cómo conocer el mundo si nos nos conocemos a nosotros mismos? ¿Cómo recibir amor si no lo expresamos? ¿Cómo alcanzar la paz desde el miedo? Si las cosas no salen como quieres es porque no estás ejerciendo todo tu poder creativo y necesitas expandir tu nivel de conciencia para que afecte el mundo de la forma. Investiga, lee sobre autodesarrollo, acude a terapia, asiste a seminarios, medita... cubre esa falta de conocimiento que te separa de autorrealización. Llegarás a la realización a través de la sabiduría.

La información viene y va, se adquiere y se olvida, no va más allá de la mente. El conocimiento, por contra, permanece más allá de la mente y del mundo de las ideas cambiantes. Una vez logrado, el conocimiento ya no puede perderse, forma parte del sí mismo. Y a través de la experiencia se convierte en sabiduría.

El autoconocimiento conduce a una vida más satisfactoria y plena. Antes de tomar cualquier decisión importante, considera si es una decisión que te apoya para convertirte en esa mejor versión de ti mismo. Si no, busca una opción alternativa o un enfoque que te ayude a conquistar tu mejor yo. Sabrás elegir pues la mejor opción siempre es la que otorga más paz.

 No sé si amarse es la mejor solución pero sí sé que odiarse lo empeora todo.

Muchos pensadores sabios nos han repetido que el autoconocimiento es la clave para el desarrollo personal. Por ejemplo, el filósofo griego Platón creía que los humanos nacían con conocimientos intuitivos; simplemente los olvidaron durante su educación y al enfrentarse a la manipulación que promueven las autoridades para nuestro mayor control. Platón pensó que, si alguien podía redescubrir su conocimiento innato, recordarlo, podría dominar cualquier cosa en la vida, ya que poseería el poder del conocimiento.

Cuando buscamos saber más sobre nosotros mismos, llegamos a activar dones, talentos, habilidades olvidadas o suprimidas; podemos descubrir nuestros dones y talentos innatos para contribuir positivamente a alcanzar nuestro potencial.

> Hoy he decidido aceptarme y perdonarme, pasar página y aspirar a la grandeza.

Ya sabrás que el amor propio es relevante en un estilo de vida espiritual, ya que nos permite descubrir nuestra verdadera naturaleza. El filósofo Platón dijo que somos almas inmortales atrapadas en cuerpos mortales hasta que la muerte nos libere nuevamente a nuestro estado inmortal una vez más. Fuera del espacio-tiempo-gravedad tomamos posesión de la inmortalidad.

Cuando morimos en esta dimensión densa y limitada, pasamos a ascender a nuestro estado inmortal nuevamente, es como volver al hogar del que partimos para experimentar. Envejecer es adentrase en la paz, pues el alma intuye que está regresando casa, de vuelta al hogar; y eso la reconforta en el viaje de vuelta. Quien elige la reencarnación ha de saber que pagará el precio impuesto del olvido entre vida y vida como peaje. Una estafa para retrasar nuestro potencial evolutivo. ¡El Samsara es una trampa —en un bucle sin fin— de aprendizaje y olvido!

Pero hay inmortalidad en nuestra esencia espiritual, va más allá de nuestro cuerpo o mente mortal... algo que Platón llamó la «esencia divina». Y ahí es donde hay que apuntar para conseguir la autoestima aquí y ahora. No condiciones tu autoestima a la belleza o funcionalidad de tu cuerpo. El cuerpo es un buen vehículo, o refugio temporal, para el alma pero para conseguir evolucionar es preciso dejar de identificarse con él y dejarlo un poco de lado.

> El «camino de la transformación» es el proceso personal que sustituye lo que tú inventaste de ti por lo que la divinidad creó contigo.

Voy a a hacerte una confesión: no he leído un solo libro de autoestima en toda mi vida. Por esa razón, aquí no vas a encontrar ideas refritas, información anticuada, conceptos reciclados o comunes… quise mantener mi mente virgen para ti sin leer sobre este tema para poder abordarlo con frescura y originalidad. Lo que te ofrezco es una argumentación exclusiva y radical.

El objetivo de este libro no es que ames tu ego, sino tu divinidad. Cuando amamos nuestro ser esencial, empezamos a descubrir quién somos, y la trampa de la matrix empieza a desmoronarse, el bucle de reencarnaciones se detiene, el espíritu se libera del Samsara o ciclo de reencarnación en un planeta carcelario. Desapégate de la persona que crees ser, identificarse con ella es estar dormido. Y todo aquel que duerme convertirá su sueño en una pesadilla. Hasta que no llegues al «Yo Soy» toda identificación es un autoengaño.

En un primer momento desearía que transitases de la baja autoestima a la alta autoestima; en una etapa posterior quisiera que contemplaras el concepto de autoestima como una fantasía infantil. Así que en un principio tratas de resolver un problema;

pero después, el problema desaparece por completo por lo que no necesita solución. La mejor solución es no necesitar una solución. Pero en este proceso vas de A a B y después a C, porque no sabrías pasar directamente de A a C. ¿Entiendes?

Cuando uno ama a su ser esencial y divino, empieza a sentir compasión por su ser egóico mundano. Ya no está en sus manos, se ha liberado a través del conocimiento del yo inventado. La percepción que es apenas una vaga interpretación se ha transformado en conocimiento puro (ten clara esta enorme diferencia). Y por fin el Ser es libre.

Por alguna razón has creído que condenarte y no amarte iba a borrar tus errores, pero estos no necesitan perdón sino corrección. Odiar tus errores solo puede conducirte a odiarte a ti mismo, lo cual es la consecuencia lógica e inevitable. La gente no se quiere porque no sabe dejar atrás sus errores.

Prueba con disolver todos tus juicios emitidos desde el miedo y la separación de tu origen divino, porque ambas perspectivas son equivocadas. La falsa percepción solo crea nuevas falsas percepciones; y tratar de corregirlas no hace más que aumentar la confusión de la que eres víctima. Solo deshaciendo el lío mental que has creado podrás poner a salvo tu autoestima.

El camino de la transformación personal es el proceso de despertar de todos los juicios errados sobre ti mismo. ¿Cómo discernir entre juicios y conocimiento? Los primeros crearán dolor de mil y una maneras sin importar lo que hagas; sin embargo, el conocimiento conduce siempre a la paz interior. ¿Y cómo discernir entre verdad y falsedad? Aquel «Yo» que puedes definir es irreal, el «Yo» que no puedes definir es verdadero.

Déjame terminar con una idea de poder: amarse significa sanarse. ¿De qué? Del miedo. Aquellos que deben sanarse, sabrán que están «enfermos» porque no se aman a sí mismos. Y el amor que los puede sanar no procede de otros, sino de ellos pues es el amor que se están negando a sí mismos. Si dejaran de odiarse, de juzgarse, de atacarse, de herirse y de menospreciarse… sanarían en un instante.

Espero y deseo que cuando cierres este libro no caigas más en la ficción de evaluarte. Será el momento de sustituir tus dudas por la certeza. Sigue leyendo porque voy a despejar todas tus dudas y no dejaré ninguna pregunta sin respuesta.

Resumiendo:

✓ *El amor propio es un camino hacia el autoconocimiento.*

✓ *El amor propio ayuda a reconocer la chispa divina que hay en cada persona (en uno mismo, y en los demás).*

✓ *El verdadero amor propio ayuda a descubrir el verdadero Yo y a vivir una vida espiritual desde la identidad real.*

✓ *Algunos creen que el amor propio es egoísta, creen que amarse a sí mismo conduce a un trastorno de la personalidad, y aceptan la manipulación que los confunde.*

✔ Amarte a ti mismo refleja el conocimiento de quién eres, qué quieres de la vida y cómo contribuir positivamente a la evolución de la especie humana.

✔ Si las cosas no salen como quieres, es porque no estás ejerciendo todo tu poder personal y necesitas descubrirte.

✔ La gente no se quiere porque no sabe dejar atrás sus errores.

✔ El origen de toda sanción es el perdón y el amor.

① Ignorar el daño que hacen
② Poner la otra mejilla.
③ más decidida de irme.

Raimon

Acción de confianza:

Piensa en tres cualidades que te gustaría tener o admiras en alguien.

He de decirte que ya posees esas cualidades en ti, aunque en un grado inferior o no desarrolladas, puesto que de no tenerlas no podrías verlas en otras personas. Reconoces lo que conoces.

Ahora piensa en tres modos de amplificar esas tres cualidades que quieres expandir en ti.

A la vista de esta comprensión ¿qué harás con adicción a enjuiciarte?

CAPÍTULO 5
EL AUTOCONCEPTO, LA CLAVE DE LA AUTOESTIMA

LA AUTOESTIMA ES un universo interior complejo que se recalibra con la autopercepción, el autorespeto y la sensación de la valía propia. Contrariamente a lo que algunos creen, no es una cualidad humana inherente, innata o genética, con la que se nace o no. Se adquiere y se modula a través del autoconocimiento, es decir, la exploración del Yo y su interacción con el entorno.

El autoconcepto, primo hermano de la autoestima, es una impresión mental, que puede ser engañosa; y como todo concepto cambiante es una irrealidad. Buscamos la identidad esencial o espiritual porque va a la raíz. Todo lo que se urde en la mente es un engaño sustentado en creencias cambiantes. La confusión entre el verdadero Yo y lo que te has contado a cerca de ti mismo, ego, es tan grande que hace que no puedas estar seguro de nada. Desde la mente es imposible que puedas reconocerte, apenas consigues etiquetarte, pues solo desde el corazón entenderás tu verdadera esencia.

Algunos factores que afectan la autoestima son el género, la cultura, el nivel socioeconómico, la imagen corporal y la percepción mental; además por supuesto, del nivel de conciencia. La relación entre autoconcepto y autoestima está estrechamente establecida. Los dos conceptos están intrínsecamente vinculados; son partes el uno del otro. Por tanto, para mejorar la autoestima, primero hay que abrillantar el autoconcepto.

Investiga tu identidad. Conócete a ti mismo. Descubrirás la pura maravilla...

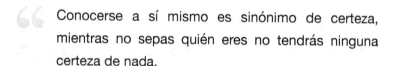

> Conocerse a sí mismo es sinónimo de certeza, mientras no sepas quién eres no tendrás ninguna certeza de nada.

Mejorar el autoconcepto implica mejorar no solo la percepción que se tiene de sí mismo, sino llegar finalmente al conocimiento verdadero más allá de las interpretaciones cambiantes. Esta imagen es la suma total de creencias acerca de: la apariencia física, el carácter, los rasgos y habilidades de personalidad, la posición social y las relaciones, los logros, etc. Descubre tu verdadera identidad, el Yo soy, profundiza en eso pues es el propósito de la vida. Llegado a ese punto, toda necesidad de mejorarse desaparece.

Así la confusión proviene de tratar de definirse (inventarse) a uno mismo y valorar todas esas variables cambiantes:

autoestima = suma de infinidad de etiquetas

Y la certeza proviene de dejar de definirse y reconocer el valor esencial:

autoestima = fractal del amor divino

No se nos olvide que la «identidad» espiritual es la real. Porque fuimos creados por la perfección, a su imagen y semejanza. No obstante, la identidad inventada es cambiante y depende de los acontecimientos mundanos. Y esa imagen irreal es siempre cambiante, subjetiva… procede de una mente confusa que no puede asegurar nada. Es una *interpretación relativa* y lo que estamos buscando es el *conocimiento del sí mismo absoluto*.

Vayamos a ver qué dice uno de mis autores preferidos al respecto, Neville Goddard: «*No salgas a buscar aquello que eres. Aprópialo, afírmalo, asúmelo. Todo depende de tu concepto de ti mismo. Imagina lo que deseas ser. Como el hombre piensa en su corazón, así es él*». No está nada más ¿verdad? Y también: «*Reconoce que ta eres aquello que deseas ser, y nunca tendrás que buscarlo*».

Si la autoestima sube y baja es porque tu memoria avanza y retrocede en correspondencia. Cuando recuerdas quién eres en verdad, la autoestima sube, cuando olvidas quién eres en verdad, la autoestima baja en picado. No depende tanto de tus circunstancias vivenciales como de tu memoria identitaria. Y es variable, en función de tu conexión espiritual con la Fuente. Así que no es un logro que se alcanza y ya está para siempre. Más bien, es un proceso continuo de autocorrección en la percepción de tu identidad esencial.

Olvido y desconexión de la Fuente => Autoboicot
Presencia y conexión con la Fuente => Autoestima

Déjame contarte un secreto: tu valor sobrepasa cualquier percepción; y esta afirmación, para crear un efecto, ha de sentirse cierta más allá de toda duda. Cualquier valoración es una interpretación más o menos alejada de la verdad, una opinión sesgada. Más allá de la interpretación, está el conocimiento absoluto que nos muestra la verdad. ¿Y cuál es la verdad de nuestra identidad? Es inmutable, no cambia ni precisa mejora, no está sujeta a interpretaciones... y todo ello es precisamente la prueba de su verdad.

Nadie que haga interpretaciones de sí mismo puede estar seguro de nada.

Si algo tengo claro es:

- La percepción implica separación
- Autoevaluarse significa juzgarse
- La interpretación no es conocimiento.

No he escrito este libro para que cambies un cromo por otro más bonito, o sustituir una ficción triste por una ficción alegre... seguirías viviendo en un mundo ilusorio aunque ciertamente abrillantado. Buscamos la verdad, no maquillar la falsedad para que la ignorancia sea soportable. Si no examinamos nuestras interpretaciones, estamos protegiendo nuestras ilusiones. Y no es así como se llega al despertar. Dicho esto, usemos la mente como herramienta para remodelar el autoconcepto; aunque la última palabra no la tiene la mente, sino el espíritu.

Y hablando de mejorar el autoconcepto con la herramienta de la mente, una de las cosas que me han funcionado es modificar el «diálogo interno»; la voz que identificas como tu pensamiento. Entrega tu mente al amor, enfócate en el amor y no en el temor. El *kaizen espiritual* es la expansión, no desde el falso ego, sino desde el «Yo real». Y más que un proceso de construcción es de destrucción o deshacimiento.

¿Cómo distinguir entre el yo inventado y el real? El inventado es observable, el real no. Lo que puede observarse no es real sino proyección. Nada que puedas observar eres tú, en este sentido una autoestima basada en las experiencias mundanas es un engaño.

Estoy en pie de guerra y ese conflicto básicamente es conmigo mismo.

La humanidad está en una guerra civil contra sí misma. Pero odiarse no es real, es una pesadilla, pues solo el amor existe. La Fuente es amor y quiere que te reconcilies contigo mismo. Para acabar con esta locura solo tienes que desearlo y pedirlo. ¡Pedirlo! Pide un instante de paz y la paz llegará a tu mente.

Al final todo es un malentendido, ¿verdad?

Cierto, al creer en lo que no es real, lo hiciste visible como un espejismo y caíste en la desesperación. No porque lo creaste, el miedo, fue real; sino porque le diste la espalda a la única verdad que sustenta el mundo: el amor.

Ahora sé que mi autoconcepto no estaba en coherencia con el amor que me ha creado, pues intuyo que fui creado perfecto ¡y que sigo siéndolo a pesar de los espejismos de temor! ¡Cuánta paz obtienes al volver al amor!

Solo podrás sentirte completo y perfecto abrazando la realidad que no es otra que la plenitud del amor incondicional, infinito y eterno. Y eso disuelve el yo minúsculo que sufre.

El secreto de identificar áreas de mejora en la personalidad presupone aceptar imperfecciones, no está mal pero también implica buscar soluciones superficiales a problemas superficiales. No es posible mejorar una fantasía cambiante. De hecho, resulta liberador reconocer que no vamos a conocer el día de la perfección en este planeta. Dicho esto, una vez identificadas las áreas que necesitan mejorar, un plan para para abordarlas es adecuado. Pero un plan no es suficiente, es apenas el camino a seguir; la energía para andarlo procede del amor. Para actuar necesitas amor. Si no te quieres, ¿cómo vas a sacar adelante tu vida?

Te propongo una mejora *kaizen*, pasito a pasito. Y no de la noche a la mañana. Observa y mide tus cambios. Lo que no se mide, no mejora. Evalúa el progreso para hacer ajustes según sea necesario. El autoconcepto positivo reforzará las acciones positivas para mejorar la imagen de ti mismo y contribuirá a aumentar tu autoestima. Mejorar tu autoconcepto también conducirá a mejores relaciones con los demás porque te verán como una persona atractiva con quien desearán interactuar. Todo eso está bien pero cuando termines de adornar tu mundo, aspira a descubrir la perfección del espíritu.

A medida que ganes confianza en este proceso de *kaizen espiritual*, es posible que desees redefinir las relaciones con los demás para que estén a la altura de tu nuevo autoconcepto. Elevarás tus relaciones a un siguiente nivel y dejarás de aceptar lo inaceptable. Unas personas llegarán y otras se irá y así debe ser. Ya no buscarás la aceptación ajena porque tendrás la tuya propia.

En efecto, mejorar el autoconcepto tiene beneficios adicionales, como mejores relaciones con los que nos rodean. La forma en que nos percibimos afecta la forma en que nos relacionamos socialmente con las personas que nos rodean, ya que tendemos a gravitar hacia aquellos que suman y nos alejamos de los que restan. Las frecuencias personales se atraen y acompasan como dos diapasones gemelos.

Seguramente evitaremos a aquellos que desafíen nuestra renovada autopercepción ya que no queremos contaminar la nueva percepción positiva de nosotros mismos. Cuando esto ocurra, los círculos sociales cambiarán, se renovarán, saldrán personas de nuestro entorno social y entrarán otras. Es normal, es nutritivo. No olvides que estamos moviendo energía en nuestras relaciones.

Una buena autoestima hace que nos vemos a nosotros mismos diferentes, renovados, y los demás empezarán a vernos cambiados. Eso atraerá a unas personas y repelerá a otras porque los iguales y los complementarios se atraen. Las personas que se sienten inadecuadas atraen la falta de autoestima, ignorando que si se sintieran adecuadas atraerían la autoestima. Este es el poder magnético de las emociones que establece tu suerte.

Cuando sabes quién eres, amarse es muy, muy, sencillo. Entonces, nos vemos como una persona que ha ganado la confianza y ahora los demás interactúan con nosotros de manera mucho más positiva que antes porque ¡ellos también han ganado confianza en nosotros! ¡Ahora nos perciben como personas seguras de sí mismas! Y esa seguridad nos hace brillar con una luz muy atractiva.

En resumen:

✓ *La autoestima está modulada por la autopercepción, el respeto por uno mismo y el sentimiento de valía personal.*

✓ *Algunos factores que afectan la autoestima son el género, la cultura, el nivel socioeconómico, la imagen corporal y la percepción mental.*

✓ *Una forma de mejorar el autoconcepto es practicar un diálogo interno positivo.*

✓ *El autoconcepto verdadero no es una impresión*

mental, sino espiritual.

✓ Todo lo que se trama en la mente es un engaño. Solo desde el corazón comprenderás tu verdadera esencia.

✓ La interpretación cambiante no es conocimiento absoluto.

✓ Todas las relaciones mejoran cuando nosotros mejoramos.

✓ La autoestima radical no depende del reconocimiento ajeno.

Raimon.

Acción de confianza:

Por la noche, antes de quedarte dormido, esboza una sonrisa en la oscuridad y repite para tus adentros: «Lo siento, perdona, te amo, gracias», repito este mantra original del Ho'oponopono, una y otra vez hasta que te venza el sueño.

Estas borrando la desaprobación de la jornada para poder empezar página al siguiente. Borrón y cuenta nueva.

Al día siguiente, con el nuevo día, examina con que ánimo te levantas. La actitud debe ser de renovación.

CAPÍTULO 6
CÓMO VENCER LA INSEGURIDAD

LA CONFIANZA ES UN «EFECTO SECUNDARIO» deseable derivado de la autoestima. Nos ayuda a sentirnos seguros con nosotros mismos y capaces de nuestras posibilidades ante una situación con incertidumbre. Muchas personas carecen de la suficiente confianza en sí mismas y en su capacidad de resolver sus problemas. Se hacen pequeñas ante los obstáculos.

Esto es un gran impedimento ante toda clase de metas. Cuando afirmo que es una cualidad adquirida me refiero a que «no viene de fábrica», es una actitud elaborada. Todo el mundo tiene la capacidad de mejorar su autoconfianza; no desde la teoría, sino poniéndose a prueba una y otra vez. Este es el remedio que prescribo: acción. Las teorías son intentos de explicar lo inexplicable.

Louis Armstrong decía: «No lo digas, tócalo», y yo digo: «No lo digas, hazlo». La vida te pondrá a prueba una y otra vez para que aprendas cómo manifestar tus deseos. No basta con desear, demuestra cuánto quieres lo que quieres una y otra vez, hasta que suceda. Me temo que la felicidad y el éxito no son para los débiles de espíritu.

Para superar la inseguridad, en primer lugar, debes identificar el miedo que te hace sentir inseguro. Identifica en qué situación no sientes confianza en ti mismo y el miedo asociado, vamos, las causas que te hacen dudar de ti. Persevera en llevar todo eso a la superficie para poder examinarlo y el resto se encargará de sí mismo.

Recuerdo que de pequeño a mi hermano mayor le encantaba gritarme: «Inútil». Lo hacía a menudo. Fue doloroso escucharlo entonces; pero en lugar de limitarme, aquello me empoderó más adelante para el resto de mi vida, ya que en lugar de sentirme «inútil», he elegido ser «útil». Y me ha ido muy bien. Ya ves cómo a veces, un mal se convierte en un bien. Mi miedo consistió en no servir para nada. Mi remedio fue aprender siempre más y ponerlo a prueba en la práctica. Funcionó.

En efecto, no es lo que te han dicho, no es lo que te han hecho, no es lo que ha ocurrido… lo que te bloquea; es lo que tú haces o no haces con todo eso. Yo creo en mí porque la divinidad me puso en este mundo para realizar una tarea: confió en mi aportación al Plan. Y te juro que no seré yo quien reniegue de la confianza puesta en mí. No necesito que todo el mundo me comprenda, yo sí me comprendo; y el hecho de haber nacido, y estar aquí, me valida al cien por cien.

Una vez que hayas identificado lo que parece menoscabar tu autoconfianza, y el miedo asociado, dale la vuelta para superarlo y convertir lo malo en algo bueno. Por ejemplo, si hablar en público te hace sentir inseguro, ya sabes lo que te toca: subir al escenario una y otra vez hasta que sea coser y cantar para ti. Si mostrar tus sentimientos te hace sentir vulnerable, escúdate en el amor y exprésalos. Si no sabes cómo conseguir algo, conjurarte con el resultado y aprende. No hay trucos, ni atajos, ni rebajas... debes desterrar el miedo de tu vida.

¿Cómo puedo encontrar algo bueno en lo que es malo?

Rebuscando un aspecto positivo en otra situación y en otro momento que es su consecuencia. Pregúntate: ¿En qué me ha beneficiado con el tiempo? Y darás con ello.

Ya veo, supongo que, en un universo cuántico, todo se equilibra de alguna manera.

Siempre, todas las veces. La suma de tu gracia no es superada por la suma de tu desgracia. Todo se equilibra, hay tanto bien como mal.

Me está gustando esta nueva visión. Ten paciencia conmigo hasta que pueda asimilarlo.

Tienes todo el tiempo que necesites pues se estableció un aprendizaje secuencial —o lineal— como modo de asimilación gradual y progresiva para ti.

Eres un adulto, y es difícil desengañarte de tus percepciones falsas basadas en miedos que has acumulado en la vida... es así como llegas a no confiar en nada.

Para superar la inseguridad, en segundo lugar, céntrate en mejorar tus fortalezas en lugar de tus debilidades. Aprender a aceptar las debilidades, y a la vez reconocer las fortalezas, es importante para tener más confianza. No lo haces todo bien, tampoco lo haces todo mal. Al aceptar estas partes de ti mismo, obtendrás la energía para mejorar y convertirte en una persona más sólida.

Para superar la inseguridad, en tercer lugar, rodéate de influencias positivas. Encuentra personas que tengan éxito en las áreas en las que tú quieres tener éxito y modela su comportamiento. Busca libros como este, sin información banal de relleno, y aprende más. Disponer de modelos a seguir —como un punto de referencia— nos ayuda a ver ejemplos de éxito reales. Las personas en tu vida deben sumar, no restar... evita a las personas que te infravaloren de alguna manera.

A mí me funciona muy bien rodearme de modelos positivos, con niveles de éxito admirables en mí mismo campo. Leo incansablemente libros rebosantes de sabiduría. Llevo una vida tan nutritiva como puedo en todas las áreas. ¿Sabes?, cuando te rodeas de influencias positivas y contextos inspiradores, estás abonando el éxito en tu vida.

 Aprender de las personas que te rodean es una buena manera de crecer como persona.

Ya tienes tres modos de conseguirlo, imagino que esperas más pero en realidad no lo necesitas... Hay muchas más formas en las que podemos aumentar nuestra autoestima al aumentar la seguridad; solo hay que estar comprometido al respecto. La seguridad es una elección, si pierdes la confianza es que has olvidado quién eres. El mundo está lleno de leones que se sienten ratoncitos.

Resumiendo la metodología de la confianza abundante:

1. Identificar el miedo que te bloquea
2. Mejorar tus opciones aprendiendo
3. Rodearte de influencias positivas.

Como te expliqué, entiendo que los demás pueden influir en nuestra confianza, como cuando alguien dice cosas negativas sobre nosotros (recuerda el ejemplo de mi hermano mayor), y ello puede hacernos perder la seguridad momentáneamente. Pero a la larga, es importante no metabolizar las opiniones de otras personas sobre nosotros; en lugar de eso, enfócate en construir tu propia opinión de ti mismo y deja de buscar aprobación ajena, es una trampa de doble filo.

Es importante, al principio, no establecer metas irrazonablemente altas para ti; esto podría generar decepción y sentimientos de fracaso si no se alcanzan esos objetivos de inmediato. Por ejemplo, no es razonable pretender pasar del odio al amor, de la desconfianza a la confianza, al instante, pero sí es posible en un proceso gradual. Empieza por lo fácil y avanza hacia lo complejo. La confianza es un hábito que se forja practicando la autoestima, mi consejo es este: *quiérete cada día un poquito más.* Comienza poco a poco, y avanza a medida que te sientas cómodo... Todo esto ¿funciona? Pruébalo y lo sabrás.

Superar la inseguridad en sí mismo puede ser una tarea ardua, pero es posible con disciplina. Comienza poco a poco y trabaja en mejorar tu autoimagen un día a la vez, una tarea a la vez, un detalle a la vez... hasta que sea un hábito confiar en tus posibilidades.

Reconocer que no estás seguro de nada es el principio de la solución. Como bien dice UCDM: «Es fácil ayudar a un niño inseguro, ya que reconoce que no entiende el significado de sus percepciones. Tú, sin embargo, crees que entiendes el significado de las tuyas». De adulto ya no tienes percepciones, son estas las que te tienen a ti, y aunque supongan tu calvario no estás dispuesto a cambiarlas porque las asimilas a tu identidad y disolver la identidad te parece morir.

Vayamos un paso más allá. Todo aquel que busque la seguridad no la encontrará en el mundo de las cosas, pues este mundo material es inconsistente; sin embargo todo aquel que pida la *seguridad interior* la obtendrá cuando deje de empequeñecerse en su mente y de negar su origen divino en su corazón. Ten por seguro que la naturaleza divina no conoce el temor ni la inseguridad. Y ahí es donde debes apuntar, a tu esencia lumínica, donde encontrarás el amor perfecto y la certidumbre infinita.

 El desconocimiento de quién eres es lo que alimenta la inseguridad.

Ahora empiezas a entender que la seguridad no se consigue eliminando todos los obstáculos y dificultades que hay ahí afuera, eso sería una tarea de nunca acabar... Siempre habrá algo que te ponga a prueba. La seguridad se consigue con la certeza de que sea lo que sea lo que afrontemos, contaremos con el poder y la asistencia para superarlo. La confianza es saber que podrás resolver de alguna manera tus dificultades a cada momento. Porque no tienes que resolver el resto de tu vida ahora, sino atravesar en paz el minúsculo instante que se tarda en parpadear.

En resumen:

✓ *La confianza es una cualidad adquirida derivada de la autoestima.*

✓ *Para superar la inseguridad, primero debes identificar qué te hace sentir inseguro.* Mi esfuerzo me desacredita

✓ *Para superar la inseguridad, identifica el miedo que te bloquea.* la repulsión de todos

✓ *Para superar la inseguridad, mejora tus opciones aprendiendo.*

✓ *Para superar la inseguridad, rodéate de influencias positivas.* ✓ Leer más .

✓ *Las personas en tu vida deben sumar, no restar. Evita a las personas que te infravaloren de alguna manera.*

✓ *Encuentra personas que tengan éxito en las áreas en las que deseas tener éxito y modela su comportamiento.*

✓ *La seguridad no es saber ahora qué tendrás*

que hacer, sino que sabrás descubrirlo llegado el momento.

✔ Recupera tu autoestima para recuperar tu confianza.

Raimon

Acción de confianza:

Escribe 3 situaciones en tu vida personal/profesional que te hacen sentir inseguro... anota 3 ocasiones en las que superaste con buena nota esas mismas situaciones o parecidas.

Rebusca en tu pasado hasta encontrarlas.

Examina la totalidad.

A la vista de lo expuesto, ¿qué decides hacer con esta nueva comprensión?

CAPÍTULO 7
EL PODER DE SER SUBESTIMADO

SER SUBESTIMADO, y hasta despreciado, es un *regalo* y en este capítulo te explicaré por qué. Por el momento quédate con esta reflexión del poeta Rumi: «*La herida es también el lugar por donde entra la luz*». Aún no lo sabes pero al final de este capítulo habrás aprendido la alquimia de convertir su desprecio en autoaprecio.

Las personas subestimadas se subestiman a sí mismas y rara vez revelan al mundo su verdadero valor. A la vez, debido a su falta de autoestima, son subestimados por otros. En efecto, las personas por lo general subestiman a los que se consideran inferiores, lo que conduce a un bucle de desprecio y desdén: *no me quiero porque nadie me quiere. Y nadie me quiere porque no me quiero.*

Juzgamos a los demás en base a nuestras propias experiencias, cierto. Esto lleva a que seamos incapaces de comprender las personas que han llevado una vida diferente a la nuestra. También tendemos a buscar la aprobación de las personas que ni siquiera conocemos o apreciamos, lo que conduce a una neurosis poco saludable. Aquellos que tienden a enfocarse en complacer a los demás, en lugar de entenderse así mismos, malogran sus energías.

No tiene nada malo ser incomprendido. De hecho, cuanto más incomprendidos somos más originales somos, salimos del mediocre promedio. Despreciar el desprecio no es venganza, es el karma en acción. Si te han llamado «raro» alguna vez, felicidades, vas bien, seguramente has ingresado en la tribu de transgresores que elevan el nivel de conciencia humano.

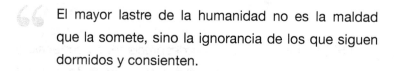

> El mayor lastre de la humanidad no es la maldad que la somete, sino la ignorancia de los que siguen dormidos y consienten.

¿Por qué los dormidos no perciben la realidad? Porque su mente no está preparada para verla, han desperdiciado su tiempo en fantasias y han permitido que el sistema les lavara el cerebro.

Lector, invierte tu tiempo y energía en tu desarrollo personal, ya cambiarás de automóvil después. Conocerse a uno mismo, al margen del ego o avatar, es la única forma de obtener verdadera satisfacción y felicidad duradera. Esto es, centrarse en lo que cuenta sin prestar atención a lo que piensen o digan los demás.

Tienes una misión que cumplir y es despertar dentro de esta película de ficción que llamas: «mi vida». Establécete en la conciencia del «Yo soy», esa es la misión para todos, el resto son divagaciones estériles. El despertar es lo más importante y es lo que más descuidan los humanos. Para otros, los que forman parte del programa de enviados, la misión simplemente es estar presentes en el planeta, es así como elevan la frecuencia y colaboran en la ascensión.

Es lo que yo llamo enfocarse «sin mirar de reojo» a ambos lados. Ten por seguro que cuando tropieces y caigas (muchos esperan ese momento) oirás risas apagadas, pero no ha de importarte, levántate con dignidad y sonríe a los que se ríen. Lo que haces después de caerte es lo que define qué clase de persona eres.

Céntrate en tu vida sin preocuparte por la opinión de los demás y se disparará tu autoestima radical como un cohete. Llevar a cabo tus sueños te conducirá a un estado mental positivo cercano a la felicidad, independientemente de cualquier expresión de negatividad en el entorno. Tus acciones definen tu carácter y dan forma a la imagen que tienes de ti mismo, no lo que otros piensan de ti.

No te confundas, la estima que buscamos es la propia, no la ajena o de otros. Los demás te pueden subestimar, estimar o sobrestimar... pero ese es su problema, nada que tú puedas controlar ya que es su elección y su punto de vista. No puedes cambiarles pero siempre puedes cambiarte.

A lo que vamos aquí es a edificar tu autoestima, eso sí es controlable y está en tu mano. En este capítulo cuando leas «subestimar» me refiero a la desvalorización que hacen otros de ti. Con esto claro en mente, prepárate para una buena noticia, permíteme una afirmación tajante...

No puedes controlar la opinión de los demás pero siempre puedes moldear la tuya.

Ahora imagina cuántas veces un niño ha recibido un «no» por respuesta... muchas ¿verdad? Sí, ¡una montaña de negativas! que menoscaban su autoestima. No digo que seamos complacientes con los niños, solo propongo que no castremos sus ilimitadas posibilidades solo porque estamos irritables o demasiado cansados para escucharles.

Se dice que un niño, hasta los ocho años de edad, ha recibido unos 100.000 «noes» o negativas por respuesta. ¿Puedes imaginar semejante montaña de negatividad? ¿Y tú? Al margen de todos los «noes» que recibiste de otras personas están los peores «no»: los que tú mismo te dedicaste. Incluso los «sí» que diste cuando querías decir «no» te han negado de alguna manera. En efecto, cada vez que dijiste «sí» a lo que no querías, te estabas diciendo «no» a ti.

¡Oh! Tarde para lamentarse.

Ahora, para entrar en materia, déjame compartir una historia de mi músico favorito, y de largo, Quincy Jones, el productor musical más nominado a los premios Grammys en toda la historia. Le adoro porque él hace que otros músicos y cantantes rindan al máximo y suenen mejor. Leyendo uno de sus libros, advertí que tenemos algo en común. Ambos hemos tenido la fortuna de ser subestimados en nuestra vida, y ambos hemos utilizado el poder de la subestima de otros para tener más éxito. ¡Y más autoestima!

Sabemos convertir el desprecio en un combustible sin precio. Si nuestros detractores supiesen que ¡nos ayudaron! se tirarían de las barbas.

¡Quincy y yo! Qué alivio no sentirse el único en esto, y apuesto a que tú, lector, también tienes algo que aportar al respecto. Quincy, yo y tú. Espero que tengas la suerte de ser subestimado alguna vez por alguien y que sepas cómo darle la vuelta a su desprecio para construir tu autoestima. No les contestes con palabras, contéstales con hechos, son imbatibles. Hace poco, metí en el buzón de mi antiguo colegio varios de mis libros. Allí no tenían mucha fe en mi talento para escribir, así que años después colapse su buzón con algunos de mis 38 libros. Hechos.

Pues no le veo la gracia a que te subestimen…

No, no es gracioso ni agradable; yo no he dicho eso. Pero forja tu carácter y pone a prueba tu determinación. Te hacen un favor sin quererlo.

De vez en cuando un cumplido no hace daño…

No lo hace… siempre que no te acostumbres y que no lo necesites. Lo que piensen de ti es incontrolable y cambiante, además de arbitrario… Lo que cuenta es lo que piensas tú de ti. Haz que los hechos de tu vida sea el cumplido que estás buscando.

Es hora de empezar una nueva relación conmigo mismo. Borrón y cuenta nueva.

Dice el genial Quincy Jones: «Cuando la gente te sobrevalora, se interpone en tu camino, pero cuando te subestima, se aparta de él». ¡Qué gran verdad, Dios mío! Traducido significa que si te halagan te perjudican, pero si te critican te benefician. ¿Cómo es esto? Sigue leyendo y comprenderás.

Cuando recibes halagos, lo único que consigues es engordar tu ego, confiarte en exceso y recibir una presión excesiva de las expectativas que depositan en ti. Eso te condiciona, te entorpece, te estorba, te estresa y acaba derribándote. Sin embargo, cuando los demás no tienen ninguna expectativa sobre ti, más bien todo lo contrario, por poco que hagas y consigas excederás sus expectativas. Eso te permite actuar sin presión. Es la magia de ser un Don Nadie.

Unas expectativas muy elevadas pueden hacernos fracasar por un exceso de confianza.

Unas expectativas nulas o inexistentes nos liberan de la presión de cumplirlas.

¿Ves la diferencia? En el primer caso por mucho que hagas nunca será suficiente; en el segundo caso por poco que consigas será una sorpresa inesperada. En un caso, la sobrestima ajena te pone la zancadilla; en el otro, la subestima ajena te empodera para superarte. En un caso te vence el falso orgullo, en el otro te motiva la dignidad.

Convierte el desprecio ajeno en aprecio propio. No te derrumbes si te humillan, usa esa energía para reafirmarte y resurgir como el ave Fenix. Amancio Ortega, el creador del imperio Zara (y el hombre más rico de España) así lo hizo. Cuando era niño, en casa pasaban dificultades económicas, un día acompañó a su madre a la compra. El tendero les negó crédito —pues ya le debían dinero— y tuvieron que salir del comercio sin poder comprar comida. Aquel niño, humillado, se conjuró consigo mismo y el resto es historia.

Dentro de cada uno de nosotros hay un «pobre de mí» y también hay un «héroe», ambos en continua lucha, y ganará aquel que alimentes en tu mente. Me gusta especialmente una canción de Mariah Carey: «Héroe» que me inspiró en momentos difíciles. De sus versos: «*Son muy pocos que se arriesgan por amor. Pero tú tienes la fe. Y eso lo es todo. No decaigas que vivir es aprender. Y no hay nada que temer si crees en ti. Y como un libro el corazón. Nos enseña que hay temor. Que hay fracasos y maldad. Que hay batallas que ganar. Y en cada página el amor nos convierte en luchador. Y descubres lo común, no hay un héroe como tú*».

No hay un héroe como tú.

Todos conocemos muchos casos de artistas (cantantes, escritores, cineastas...) que triunfan con una primera obra pero que fracasan en su segunda entrega no porque se mala sino porque las expectativas eran muy altas y no pudieron resistir la comparación. Son artistas de un solo éxito y después se derrumban.

Mi editor me avisó tras el éxito del primer libro que el segundo sería más difícil y menos exitoso. Y así fue. Pero me sobrepuse y seguí refinando mi método para escribir libros hasta que volví a conseguir un número uno. Yo ya pasé por eso. Mi primer libro «Taller de amor» se vendió muy bien así que mi siguiente libro no estuvo a la altura (después lo he tenido que reescribir). Podría haberme retirado, como hacen muchos tras la caída y el baño de realidad; pero asumí la cura de humildad y persistí: seguí con un tercer libro y muchos más (ya me acerco a los cuarenta libros). No quería ser escritor de un único libro.

Hay mucha gente esperando verte caer y la autoestima es la dignidad de no darles ese gusto.

Cuando te subvaloran no hay nada que perder, entonces arriesgas más, te dedicas con más ahínco a mejorar… y al final logras cosas muy buenas.

En mi caso, de pequeño no había unas expectativas elevadas sobre mí, era el último de tres y llegué de relleno. Se me dijo inútil más veces de las que puedo recordar. Colecciono ejemplos de cómo he sacado motivación del hecho de ser subestimado. Como dije, ser un «Don Nadie» tiene una gran ventaja: te dejan tranquilo, en paz, no esperan nada de ti; y eso te libera porque te dan por perdido, sin posibilidades de tener éxito. He aguantado muchas burlas… pero, por ejemplo, hoy en día somos pocos los que sabemos cómo ganar unos cuantos miles de euros enviando un email, crear ingresos pasivo. O cómo escribir cuatro libros en un año. O cómo vivir de los libros publicados…

Muchos quisieran ser escritores, pero no saben cómo.

Muchos escritores quisieran vivir de sus libros pero tampoco saben cómo.

Todos mis libros son una parte de mí, valen más de lo que cuestan; aún así, recibo algunas valoraciones negativas, no en uno sino en todos mis libros (por suerte, las valoraciones positivas ganan por mucho). No importa lo que escriba, sé que siempre habrá quien ponga el pulgar hacia abajo. Es inútil preguntase: ¿qué no le gustó? Yo creo que lo que no les gusta es la vida, su vida, y están resentidos con todo el mundo.

He averiguado que incluso el algoritmo de Amazon —y el de YouTube— premian las críticas negativas y las hace más visibles porque saben que dan credibilidad a las criticas positivas. Tal cual te lo cuento. Ser subestimado ha sido a lo largo de mi vida parte del secreto de mi éxito. Mis críticos no pueden imaginarse cuánto me ayudan... benditos sean.

 Cuando no se espera nada de ti, superar las expectativas es lo más fácil del mundo.

Como los subestimadores profesionales a tiempo completo, no aprecian ningún potencial en ti, te dejan en paz, no te envidian, no te molestan, ni siquiera te atacan... les das lástima, te dan por inútil. Solo se ríen de ti y no hay nada malo en eso. Te ven, se activan sus prejuicios, le dan *intro* al botón del desprecio y se echan unas risas a tu costa. En mi caso, mis libros, sus portadas y los títulos despiertan su sentido del humor: Raimon Samsó, activación de prejuicios, desprecio, risas.

Desde luego, en un mundo cientifista y materialista, me parece que la única opción es vivir desde la espiritualidad pero sé que es un punto de vista al que le faltan unos quinientos años para madurar en esta civilización primitiva y atrasada. Seguramente ya te has dado cuenta de que el nivel en general es muy básico.

Lo dicho, la sobreestima te conduce a la arrogancia destructiva y la subestimación a la humildad constructiva. Y citando de nuevo a Quincy Jones: «Centrarse demasiado en lo que digan los demás sobre ti te llevará por el camino de la derrota antes de tener siquiera la oportunidad de actuar». Y también: «La gente siempre va a encontrar algo en ti para subestimarte. Es inevitable».

Lector, nunca permitas que el comportamiento de otras personas cambie tu comportamiento, o que sus opiniones se impongan a las tuyas, ni que sus valoraciones negativas determinen quién eres, ni que su subestima destruya tu autoestima.

Voy a concluir este capítulo con una cita de UCDM al respecto: «Tú que a veces estás triste y a veces enfadado; tú que a veces sientes que no se te da lo que te corresponde y que tus mejores esfuerzos se topan con falta de aprecio e incluso desprecio, ¡abandona esos pensamientos tan necios! Son demasiado nimios e insignificantes como para que sigan ocupando tu mente». Más claro, el agua.

En resumen:

✓ *La estima que buscamos es la nuestra, no la de los demás.*

✓ *Los demás pueden subestimarte, estimarte o sobreestimarte... pero ese es su problema, nada que tú puedas o debas controlar.*

✓ *Cuando recibes cumplidos, lo único que consigues es engordar tu ego, pecar de exceso de confianza y recibir presión.*

✓ *No puedes controlar la opinión de los demás, pero siempre puedes corregir la tuya.*

✔ *No importa lo que hagas, siempre hay alguien que baja el pulgar (dislike).*

✔ *La sobreestima te conduce a la arrogancia destructiva; y la subestimación a la humildad constructiva.*

✔ *Nunca permitas que sus valoraciones negativas definan quién eres.*

Raimon

Acción de confianza:

Escribe 3 situaciones en tu vida personal/profesional en que te han subestimado... anota 3 ventajas/aspectos positivos consecuencia de sus críticas.

Rebusca las ventajas, no en ese momento o en ese aspecto, sino en otro momento y en otra área de tu vida hasta encontrarlas.

Vives una realidad cuántica en la que todo está entrelazado.

Examina la totalidad. Mirando hacia atrás, los puntos se unen y todo encaja.

A la vista de lo expuesto, ¿qué decides hacer con esta nueva comprensión?

CAPÍTULO 8
EL PODER DE LA CONFIANZA SIN RESERVAS

EL PODER de creer en sí mismo es un regalo que todo el mundo debería concederse en algún momento de la vida.

Esta afirmación puede parecer increíble para quién piensa que no se puede hacer nada para construir la autoconfianza. Otros quizá han perdido su autoestima después de haber perdido la confianza debido a algún suceso desagradable del pasado. Independientemente de lo que haya ocurrido con anterioridad, el poder de creer en sí mismo, sin reservas, está al alcance de todos y este capítulo se enfoca en activar la confianza.

Mientras me lees sientes que no puedes confiar en otros si no confías antes en ti, del mismo modo que no puedes amar a otros si no te amas a ti mismo. Es una propiedad reflexiva válida en ambas direcciones. La vida siempre funciona con el doble sentido, con la simetría: cuando te quieres un poquito más, el mundo te quiere un poquito más.

Unos desconfían de los demás, otros de sí mismos y algunos más, absolutamente de todos. Viven como en una película en la que todos sospechan de todos y nadie se fía de nadie, ni de su sombra. Pero, más allá de ti y de los demás, la confianza que la divinidad tiene en ti es absoluta. Tus creadores conocen tu naturaleza que es la suya. Pero a menos que tu confianza iguale la suya, no podrás experimentar confianza sin reservas.

Confiar en sí mismo puede ser desafiante cuando te das cuenta de que algunas de las decisiones pasadas no fueron las mejores. Pero soy de los que creen que tener confianza no significa que no cometamos errores; sino que a pesar de cometerlos, no nos machacamos. Dicho esto, es importante entender que confiar en sí mismo no significa librarse de cometer errores. Son cosas diferentes.

La asignatura más importante que deberían enseñarnos en la escuela es a confiar en nosotros mismos. La confianza implica aprender a tomar decisiones a pesar de la incertidumbre, sin necesitar garantías acerca del resultado. Al contrario, desconfiar significa no tomar decisiones, bloquearse debido al miedo por la incertidumbre. Confiar en sí mismo consiste en tomar decisiones a pesar de todo y permitir que la intuición nos guíe en los momentos de dudas.

 La única seguridad que podemos tener es la tener que corregir errores.

Lo que quiero expresar es que la confianza es la piedra angular para la autoestima radical. Las personas que confían en sí mismas mantienen altos estándares en su comportamiento y rara vez se defraudan. No se fallan a sí mismos. No tienen miedo de ir más allá de su zona de confort y arriesgar. Eso es porque están dispuestos a asumir riesgos sin permitir que el miedo los detenga. Por otro lado, la baja autoestima conduce a la desconfianza en sí mismo; a encerrarse en lo conocido y seguro, y esto les impide que alcancen su máximo potencial.

Míralo de este modo: la confianza promueve siempre el éxito cuando se tiene una actitud positiva ante la vida. Las personas que confían en sí mismas están dispuestas a asumir la responsabilidad de crear sus experiencias.

El fracaso proviene de la falta de confianza en las propias capacidades; esto conduce a que las personas a necesiten ayuda constantemente en lugar de ser autónomas.

La falta de confianza es sinónimo de fracaso en las diferentes áreas de la vida. Las personas que no confían en la vida, no tienen motivos tampoco para depositar su fe en ellos, ¡así que no lo harán! Esencialmente, no confiar en la vida, y en el plan divino, les aislará del apoyo del cosmos, lo que les condenará al fracaso repetido.

Mírate en el espejo, eres la persona con quien vivirás más tiempo: ¡toda tu vida! Por lo tanto, deberías confiar más en ¡la persona en quien debes confiar más! Eres todo con lo que puedes contar.

Creemos en alguien cuando percibimos su poder interior. Es un aura lumínica y por tanto una frecuencia específica y además tiene su propio campo gravitatorio. El poder interior puede estar activado o no. Cuando lo honramos, la confianza aumenta. Sabemos que de alguna manera seremos ayudados, incluso guiados, a conseguir nuestro mayor bien.

Es preciso haber profundizado mucho para entender que la confianza de la mente proviene del conocimiento del corazón.

El poder de creer en ti mismo es algo que puedes y debes activar, funciona como un músculo que se fortalece cuando lo usas. Este libro te enseña que hay formas de fortalecer tu autoestima y demostrarla. Los ejercicios, las «acciones de confianza» —al final de cada capítulo— son algunas de ellas.

La confianza es una forma de quererse. ¡Cuanto más te ames a ti mismo, más crecerá en ti el poder de creer! En última instancia, aprender a confiar en sí mismo es una parte esencial del desarrollo personal. Al mostrar autoconfianza, los demás te imitarán y también van a confiar en ti.

La intuición es una conexión que ofrece guía y facilita la toma de decisiones inspiradas. Esta habilidad se fortalece con la escucha interior. Si confías en ella, te habla más, si desconfías de ella, te habla menos. No se entromete, te respeta. La confianza activa la intuición.

También aumenta la autoestima, lo que permite a las personas tomar mejores decisiones basadas en principios y valores propios. Tener una gran confianza en sí mismos les da a las personas el coraje de tomar riesgos y explorar nuevas oportunidades sabiendo que son guiadas por la inteligencia que sostiene el cosmos.

Estas nuevas experiencias pueden conducirte a un mayor autoconocimiento y una mejor comprensión de las propias fortalezas y debilidades. Lo que te ayudará a descubrir talentos ocultos, buscar nuevas ocupaciones y sobresalir en el campo profesional elegido desde el corazón. Vivir desde la confianza en ti mismo va a crear cambios en tu vida en los próximos siete días.

Confiar en la intuición permite a las personas tomar decisiones inspiradas y resolver problemas con mayor acierto. Las soluciones parecen presentarse naturalmente como sincronicidades o casualidades significativas. Policías, médicos, creadores, artistas, científicos, etc. suelen confiar en sus intuiciones cuando trabajan…. ¡porque no les queda otro remedio! y les funciona. Su capacidad para identificar lo correcto y verdadero alcanza allí donde el saber no llega.

Lee esto convidado: la desconfianza es fruto de toda percepción carente de amor. Pasar de la desconfianza a la confianza está bien; pero está mejor trasladar la confianza en el poder del amor que nos guía y que hace que las cosas buenas sucedan a través de nosotros. Gravitar del miedo al amor, comporta pasar de la incertidumbre a la certeza, de la impaciencia a la paciencia, y de la defensa a la seguridad.

Ninguna identidad podrá ser asumida hasta que sea sentida, la emoción es su energía; y una vez sentida plenamente —sea verdad o no, deseada o no—, tiene que expresarse forzosamente en el mundo. De ahí la importancia de albergar solo pensamientos y sentimientos que contribuyan a la autoestima. Al cambiar lo que sientes cambias tu destino.

¿Cómo sabré si una intuición es correcta?

> Por la emoción de coherencia que sentirás en tu corazón. Desde lo correcto te sientes alineado, confiado y coherente entre quién eres y lo que haces. Todo encaja.

¿Y eso me garantiza que acertaré?

> No siempre en el resultado visible de tus acciones; pero siempre reflejará el sello de lo correcto en el resultado invisible de tus acciones mundanas. Y esas son las huellas que dejas en el cosmos para siempre.

¿Es eso de la «firma cósmica» que mencionaste, la huella energética en el campo akásico?

> En efecto. Es un sello energético, y a la vez una llave energética.

Sin embargo, apostar por la intuición puede ser ineficaz si se tiene poca confianza en sí mismo. Si alguien se siente inadecuado, es posible que no pueda llegar a buenas respuestas a partir de la información limitada con la que cuenta. La intuición no funciona bajo presión. De esta manera, el miedo puede socavar la conexión intuitiva para tomar decisiones inspiradas.

Creo que la intuición nos guía en la toma de decisiones y la resolución de problemas porque proporciona información valiosa que no está disponible a través del análisis o la investigación. Pero esta conexión se vuelve más débil cuando uno tiene poca confianza en sí mismo en la toma de decisiones con información limitada.

Si bien la intuición ofrece respuestas espontáneas, a veces puede confundirnos y dar lugar a conclusiones precipitadas. No estoy diciendo que todo se resuelva con fe y confianza ciega. Algunas decisiones requieren un enfoque más analítico y mental en lugar de contar únicamente con la primera intuición. Pero en mi experiencia, las mejores respuestas son las que provienen del corazón. Si me permites resumir el significado de la expresión «confianza sin reservas», creo que se resume en saber que todo se resolverá perfectamente. ¿Tal como yo quiero? No, tal como Yo necesito.

En resumen:

✓ *La intuición es una habilidad natural para detectar patrones inconscientes y tomar decisiones inspiradas.*

✓ *Al principio, el poder interior parece ausente, pero aprendemos a activarlo cuando es necesario.*

✓ *El poder interior es real aunque pueda o no estar activado.*

✓ *El poder de creer en sí mismo es un regalo que todo el mundo debería concederse.*

✓ *Tener confianza en sí mismo les da a las personas el coraje de tomar riesgos y explorar nuevas oportunidades.*

✓ *La autoestima y la autoconfianza van de la mano.*

✓ *La confianza real va más allá de uno y proviene de la guía del amor.*

Raimon

Acción de confianza:

Escribe 3 situaciones en tu vida personal/profesional en que te has guía por la intuición y la guía del poder interior.

Anota 3 resultados beneficiosos/aspectos positivos consecuencia de la confianza en el saber interior.

Examina la totalidad.

A la vista de lo expuesto, ¿qué decides hacer con esta nueva comprensión?

CAPÍTULO 9

LA FUERZA PARA TRANSFORMAR TU VIDA Y ELEVARLA

EL FILÓSOFO y matemático griego Pitágoras dijo: «Los seres humanos son la medida de todas las cosas». Por lo tanto, la definición de éxito puede ser medida por la calidad humana alcanzada por el individuo. Definir el éxito en base a los estándares trillados conduce a una percepción materialista de la vida, por lo que cada persona debe ser plenamente consciente de qué cambio personal quiere en la vida. Saber qué clase de persona desea ser. Y creer en sí mismo es el primer paso hacia el éxito interior en la vida, y el segundo paso es poner de manifiesto nuestro potencial divino.

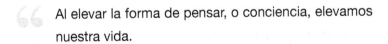 Al elevar la forma de pensar, o conciencia, elevamos nuestra vida.

La condición para lograr una vida más elevada es creer en sí mismo y, en consecuencia, mejorar el autoconcepto. John Maxwell, famoso orador motivacional, define el hecho de creer en sí mismo como «Tener una confianza inquebrantable en la capacidad para tener éxito en cualquier circunstancia». Vuelve a leerlo para recordarlo siempre. Es un pensamiento muy hermoso porque se centra en la cualidad humana de la impecabilidad (intachable e irreprochable, sin falta). Y creo que debe desarrollarse desde bien pronto en la vida para reforzarse después.

Ser *inquebrantable ante cualquier circunstancia* me emociona. Y no me refiero a ser muy fuerte sino a estar comprometido al cien por cien. Ser *impecable o cesar todo intento de atacarse a sí mismo* me conmueve. Ambos conceptos me conducen a recordar que sigo siendo tal cual fui creado por una inteligencia amorosa e inconmensurable y no tal como yo desfiguré mi identidad real.

 La autoestima es reconocer la impecabilidad en nosotros.

En el principio de la vida, todos los infantes son llamados a lograr grandes cosas; depende de sus padres proporcionarles el contexto mental, espiritual, emocional y material adecuado para que desarrollen su potencial divino. Los resultados son muy desiguales.

Los padres deberían tomarse el oficio de la paternidad como un deber sagrado y nutrir a sus hijos para que exploren sus talentos. Esto ayudaría a los niños a desarrollar un fuerte sentido de la autoestima, que es esencial para el éxito de adultos. Si eres padre o madre, tu deber irrenunciable es sembrar amor en su mente pues en el corazón ya lo llevan de fábrica…

Dile a tu hijo que le amas y, más importante aún, demuéstraselo... para que él, imitándote, elija amarse a sí mismo. No se te olvide demostrarle también que gozas de elevada autoestima. No sea que se le ocurra imitar a unos padres con baja autoestima.

Soy padre, y mi hijo sabrá qué hacer con tanto amor y sé que eso abonará el que lleva en su corazón. Si algún día lee estas palabras, ya de mayor, las cosas le encajarán y se emocionará. Este párrafo es una «cápsula del tiempo».

 Sembrar amor es sembrar autoestima.

Proporcionar una atmósfera positiva en casa (o en el trabajo) fomentará un crecimiento saludable y un ambiente adecuado para toda clase de cosas buenas. Creo más en diseñar contextos empoderantes que en tratar de modelar la mente de los demás. Y ahora te pregunto: ¿qué clase de contextos estás creando con tu ejemplo personal? Lo que les enseñamos a nuestros familiares, o a nuestros empleados, no es lo que les decimos sino lo que somos.

El primer paso para lograr grandes cosas en la vida es creer en sí mismo y ya ha quedado dicho.

El segundo paso para activar la autoestima es trasladar esa creencia firme en el ejemplo que damos. Proporcionar una atmósfera positiva, para una autoestima saludable, fomentará relaciones personales nutritivas entre los jóvenes, lo cual es activará su desarrollo personal.

El tercer paso para una vida más elevada es decretar ese poder personal que es el poder respecto a uno mismo, no sobre los demás. Cuando declaras tu poder interior, reconoces tu potencial divino y lo reclamas. El cosmos se detiene, y desde ese momento tus latidos marcarán el ritmo de tu vida. La forma más sencilla de declarar el poder personal es a través de afirmaciones. Atrévete a ser lo suficientemente bueno: sé valiente y fiel a ti mismo con autoafirmaciones.

He usado las afirmaciones en el pasado. Escribía largas listas de frases poderosas… También las repetía cuando daba paseos…

… Y que no creías al cien por cien. ¿Me equivoco?

Te doy la razón en parte, no siempre me funcionó. Siempre me animó, pero no siempre me funcionó.

Porque no es tan importante lo que haces sino la intención que pones en ello y la convicción que te mueve. Repetir conceptos hermosos sacados de libros no ayuda hasta que los haces tuyos, los metabolizas y forman parte de ti. Entonces no describes quién quieres ser sino quién eres.

Veo la diferencia y siento que no he actuado siempre desde esa verdad. Por falta de autoestima, repetí lo que decían otros a los que admiraba pero no siempre lo creía posible.

> Por eso ahora quiero que confíes en ti. Y así confiar en lo que dices será automático. Tus afirmaciones serán ley, un decreto inviolable. Porque quien lo afirma, tú, es la máxima autoridad en tu vida.

He aquí algo que enseño en mis formaciones... Las afirmaciones son declaraciones positivas, sobre temas específicos, decretadas desde el corazón con el poder del amor. Por ejemplo, repetir a lo largo del día expresiones tales como. «Yo soy la luz y reflejo la Luz que me ha creado» va a ayudarte a elevar la autoestima.

Ni se te ocurra pensar o verbalizar expresiones tales como:

- Soy un desastre.
- Todo me sale mal.
- Nadie me entiende.
- No me gusta mi cuerpo.
- No valgo nada.
- No intereso a nadie.
- Nadie me quiere.
- Pobre de mí.
- ...

Prefiero no seguir porque me parece una lista muy deprimente.

Ese tipo de diálogo interior refleja una gran ignorancia sobre nuestra identidad esencial y que nos ha sido implantada por la propaganda del cabal criminal de los amos del mundo. Pero por suerte tenemos la verdad disponible. Solo hay que buscar la verdad y limpiar con ella todas las mentiras vertidas a lo largo de nuestra deseducación pública.

Declarar tu poder interior es esencial para desarrollar una mentalidad ganadora. Te permite moldear tus pensamientos y acciones para que puedas vivir una vida más lograda. Y recuerda siempre que cualquier pensamiento se puede cambiar, siempre, en todos los casos y en todas las veces. No importa lo que te hayan dicho, o tú te hayas creído, siempre está en tu mano aceptarlo o no.

Pero declarar tu poder personal interior no es suficiente, además debes actuar para contrastarlo. Hacerlo es la prueba que demuestra una creencia. Tomar acción te permite crear los resultados que deseas en lugar de esperar a que sucedan por casualidad. Tomar acción requiere enfoque y disciplina; si no estás dispuesto a esforzarte en lo que quieres, no sucederá.

He escrito dos libros sobre la disciplina donde el mensaje más importante que entrego es que la autodisciplina es la autoestima en la práctica. Recuerda que el éxito no sucede por casualidad.

autoestima = autodisciplina

Pasar a la acción significa no tener miedo al error o al fracaso; y mucho menos a la opinión ajena. ¡Porque el fracaso ocurre cuando ni siquiera lo intentamos! y ¡porque la opinión más importante es la que tenemos de nosotros mismos!

Aun así, no muchos saben que creer en sí mismo es condición para alcanzar el éxito; algunos creen que las experiencias pasadas o los genes tienen un impacto en la forma de pensar mayor que cualquier otra cosa. Por ejemplo, algunas personas han tenido experiencias familiares negativas en su infancia que han dañado permanentemente su capacidad de creer en sí mismos o en los demás. Pero lo contrario también es verdad: muchos son los que han remontado un pasado difícil y una infancia dolorosa.

Es cierto que una infancia feliz y un entorno familiar amoroso tienen un impacto positivo en las creencias sobre uno mismo; sin embargo, estas experiencias positivas no garantizan el éxito más adelante en la vida, solo preparan el terreno para lo que cada uno elige después.

¿Basta con mejorar la autoimagen para tener éxito? No, es condición necesaria pero no suficiente. También cuenta creer en sí mismo y no es una estrategia aplicada por todos; algunas personas simplemente no están lo suficientemente discipli-nadas para convertir el amor en acción.

¡Es la forma de establecer metas y trabajar para alcanzarlas lo que hace la gente exitosa! Amarse está bien y demostrárselo con la acción, está mejor. Desafortunadamente, a veces las personas que confían en la buena suerte terminan fracasando porque la buena suerte tiene que encontrarte trabajando para que ella haga su parte.

Hay muchas maneras para aprender a creer en sí mismo y tener éxito en la vida. Es vital que los padres entiendan cuán influyente es su ejemplo en sus hijos para que puedan crear un entorno de crecimiento personal. Un hogar puede convertirse en una escuela de felicidad si los cabezas de familia nutren a los suyos con amor y valores.

En resumen:

✔ No importa lo que te hayan dicho o lo que hayas creído, siempre depende de ti aceptarlo o no.

✔ El primer paso para lograr grandes cosas en la vida es creer en sí mismo.

✔ La forma más fácil de declarar el poder personal es a través de afirmaciones decreto.

✔ Declarar tu poder interior es esencial para desarrollar una actitud ganadora.

✔ Los padres deben tomar la paternidad como un deber sagrado y educar a sus hijos para que exploren sus intereses y talentos. Esto ayudará a los niños a desarrollar un fuerte sentido de autoestima.

✔ Un hogar puede convertirse en una escuela de felicidad si los cabezas de familia nutren a sus seres queridos con amor y valores.

✔ La confianza en sí mismo es tener una confianza inquebrantable en la capacidad para tener éxito en cualquier circunstancia.

Raimon

Acción de confianza:

No podrás apreciar la verdad sin antes enfrentarte a las fantasías. Es el contraste lo que te enseñará.

Ahora haz una lista con tus fantasías a cerca de ti mismo tanto si te parece bueno como malo.

Renuncia a juzgarte y rompe esa lista al renunciar a tus juicios y condenas que son una fantasía más.

Examina la totalidad.

A la vista de esta comprensión ¿qué harás con adicción a enjuiciarte?

CAPÍTULO 10
CÓMO SUPERAR LAS DUDAS SOBRE UNO MISMO

DESDE TIEMPO SIN PRINCIPIO, la pregunta incontestada: «¿Quién soy?» refleja el «velo del olvido» con el que nacemos. Al nacer, entramos en un sueño llamado vida y olvidamos nuestro origen e identidad real; y ese instante es el comienzo de la duda (al depositar la fe en una identidad ilusoria). Desde ese instante, todo son preguntas sin respuestas que nos atormentaran hasta que recordemos nuestra verdadera identidad.

El secreto para acabar con todas las dudas es recordar quién somos, despertar. Tira a la basura todas tus preguntas, desde tu posición mental no tienen respuesta. Quédate con esta única pregunta: «¿Quién soy?» y cuando la respondas cesarán las mil y una dudas actuales. Empieza por descartar todo lo que no eres y crees ser, en el espacio resultante hallarás la verdad.

Descubrirás que lo que quieres ser ya lo eres. Y el punto central de la autoestima, desde la perspectiva espiritual, se resumen en: lo que *es*, debe ser amado.

He de decirte que parte de tus problemas se basan en que crees que has nacido y crees que morirás... Si te desidentificas de tu avatar, todos tus problemas quedarán resueltos. He escrito este libro para deshacer estos malentendidos: despierta, conócete, investiga, cuestiona, profundiza, ves más allá... Admite que has sido engañado prácticamente en todo; y cuando tu orgullo herido lo admita, serás capaz de reconstruir la realidad. Sal del engaño y serás libre.

Si te preguntas cuál es tu valía es que no has recordado todavía tu origen divino. Superar las dudas sobre uno mismo es un proceso de desarrollo personal. Todo el mundo experimenta dudas; es parte de la experiencia humana y de esta dimensión.

A un nivel esencial, quien duda es el ego y todas las preguntas incontestadas provienen de él. Si dudas sobre quién eres, seguirás sustituyendo la felicidad por el sufrimiento y las imaginaciones por la verdad. Has de saber que los que gozan de perfecta calma en sus mentes y corazones no tienen dudas acerca de sí mismos, han profundizado.

 Tu valor está más allá de cualquier medida. Y cualquier intento de manipular tu valía es una fantasía.

Deberías preguntarte qué parte de ti es la que duda y formula la pregunta. He de decirte que tu «Yo esencial» no es el autor de tus dudas, el autor de tus dudas es siempre el ego inventado que, en su irrealidad, solo puede dudar de todo pues no está seguro de nada; y, en consecuencia, ser infeliz. Admite que algo en lo que crees tiene que ser falso por la sencilla razón de que no te hace feliz. Solo por esta razón deberías examinarlo y descartarlo.

El concepto que estás a punto de aprender es que el sentimiento es la mejor guía para la toma de decisiones. Por norma, todo aquello que te haga infeliz es irreal, acuérdate bien de lo que te digo. Aplica esta sencilla regla a tu autoevaluación y a cualquier concepto que quieras validar. Si no puedes ser feliz es porque no renuncias a la identidad que para ti has inventado (y el resto del mundo confirma).

Una buena forma de superar la incertidumbre es asumir riesgos, por norma, como estrategia de vida, y aprender de los retos. Arriésgate a ser feliz. Sí, un día te equivocarás, de acuerdo, pero tal vez los otros no. Recuerda que buscas el resultado promedio, no el absoluto. Si no arriesgas, si no derrapas en las curvas, si no vas más deprisa... es que te consientes demasiado. Y mientras lo piensas ya te han adelantado.

Déjame aclarar que la duda no es lo mismo que la incertidumbre. La primera cuestiona, la segunda desconoce el resultado. Para que me entiendas, yo acepto la incertidumbre sin ser desconfiando. Creo en la incertidumbre como un contexto potencial, pero asocio la duda con la ignorancia esencial o espiritual.

Sé que a la gente no le gustan los errores, porque ya tienen mala autoestima y creen que el error es la consecuencia del pobre autoconcepto que tienen de ellas mismas. La gente con autoestima también comete errores, nada te libra de ellos, pero no se lo toman como algo personal sino natural.

En mi caso, yo me equivoco bastante porque actuó mucho y además voy muy rápido; pero no confundo mis resultados con mi autoestima pues no tienen nada que ver. Mi autoestima depende de mi actitud a pesar de la incertidumbre del resultado. No mezclo churras con merinas. No tienen nada que ver. Lector si te tomas tus errores como algo personal, vas mal. Y lo pasarás peor. No hace falta ser adivino para pronosticarlo.

Ya hay demasiados obstáculos como para poner las cosas más difíciles aún. No lo empeores queriéndote poquito...

Al escucharlo me entra la risa. Parecemos una especie masoquista. ¿No? ¿Cómo hemos llegado a querernos tan poco?

Por desconocimiento. Y este es fruto del engaño masivo al que ha sido sometida la humanidad desde hace 5.700 años para esclavizarla. Sobrevivimos bajo una agenda satánica que pretende perpetuar el control del mal sobre el bien.

Nos han engañado acerca de nuestra identidad real, sobre nuestras posibilidades y sobre nuestro origen divino...

> Y no sabes hasta qué punto... Pero la luz siempre gana, la oscuridad siempre pierde a la larga, todo cambiará si encendemos la lucecita de la autoestima en nuestros corazones y decimos basta. Es una elección basada en la dignidad. En eso radica el libre albedrío.

Perder la dignidad es entonces lo mismo que perder la autoestima.

Me temo que sí.

Las personas inteligentes emocionalmente no se machacan, y mucho menos en los malos momentos... autosabotaje cero. En lugar de eso, se corrigen, aprenden de sus errores y vuelven a intentarlo hasta que tienen éxito. El error es simplemente otra manera de decir: «Vuelve a intentarlo pero ¡de diferente manera!». No pierden el tiempo en atacarse a sí mismas, en su lugar atacan los errores.

Otra forma de superar las dudas es buscar información y conocimiento pero no hasta llegar a la paralización por la preparación. O buscar consejo de los que saben más cuando es necesario. Por ejemplo, yo tengo dos consultores: Amazon y YouTube, ambos me ayudan cuando tengo dudas o necesito información.

También pido ayuda a los demás cuando es preciso, y eso no afecta a mi autoestima porque sé muy bien que sé bien poco. Pedir ayuda es muy fácil cuando eres humilde e increíblemente útil para salir del agujero en que te has metido. En otro nivel, cuando busco conocimiento (no solo información) apelo a mi conexión interna, pregunto a mis guías. Y siempre les hago caso.

Para superar las dudas pasa a la acción, el paso a paso te revelará las respuestas que estás buscando pero no se mostrarán sino te comprometes con la acción. Cuando actúas enfocado no tienes tiempo para vacilar, eso es lo bueno de la acción. Cada vez que hagas algo nuevo y desafiante, deberás concentrarte sin tiempo para dispersiones mentales.

Me gusta pensar, me gusta prepararme, pero lo que más me gusta es actuar. Este comportamiento ayuda a desarrollar la confianza en la seguridad de que cuando ocurra algo, haré algo. Esto es lo que desarma a la incertidumbre, saber que responderás.

Nunca en mi vida me ha faltado dinero porque sé que siempre que lo precise se me ocurrirá algo; y lo más importante, que haré algo para conseguirlo. Eso es ser próspero, no se trata de tener dinero, sino de tener una mentalidad que conduce a ganar dinero. Con el resto de dudas ocurre igual.

Si no quieres dudar tienes que actuar más, no hay otra opción. La acción disuelve las dudas. La información que estás buscando no llega antes de actuar, sino en mitad o al final del proceso. Actúa y sabrás. Tomar acción es esencial porque es a través de la acción que aprenderás de primera mano de lo que eres capaz. La sabiduría del cosmos se alia con aquellos que están en movimiento.

Superar las dudas es complicado teniendo una baja autoestima. No se toman riesgos y no se actúa debido a los bajos niveles de estima. El problema no es el problema en sí, sino una falta de amor masiva. Y el bucle se perpetúa. Las personas deberían trabajar antes en sí mismas que en sus problemas.

 Empieza en ti, eres el epicentro de tus resultados.

Algunas personas tienen tantos problemas que ni siquiera saben por cuál empezar; esto las bloquea. ¿Por dónde empezar? ¡Por ti! En realidad, da igual por qué problema empieces; porque no vas a cambiar el mundo que te rodea, sino a ti. Siempre empiezas y acabas en ti. Así que empieza por el problema que te parezca más sencillo, o más rápido, consigue una victoria rápida —para ganar confianza— y sigue con lo complejo.

Hagas lo que hagas nunca dejas de trabajar en ti. Todo lo que estás experimentando se enfoca en tu evolución.

La técnica del avestruz nunca funciona. Veo a mi alrededor mucha gente que no sabe ni quiere saber, me dice que así es más feliz. ¡¿Perdona?! Yo creo que es más ignorante y atrasada, y el no saber les pasará factura tarde o temprano. El gran problema de la ignorancia es no saber que no sabes. La ignorancia proporciona una «falsa felicidad» porque significa que no sabemos que tenemos problemas ni que necesitamos resolverlos... ¡todavía!

Ignorar un problema no lo resuelve, lo agrava.

La autoestima está diluida por las dudas y el temor a no ser adecuado; pero hay que tener en cuenta que fuimos creados para hacer el viaje desde la falsedad a la verdad. Todo el cosmos tiene un Plan. Confía en el Plan. Este es mucho más grande que cualquiera de tus problemas mundanos y lo tiene todo previsto; y por esa misma razón, cuenta con las soluciones que necesitas para llevarlo a cabo.

Leído hasta aquí, llega la pregunta del millón: ¿cómo superar las dudas sobre uno mismo? Respuesta inequívoca: ayudando a otros a resolver esas mismas dudas sobre ellos.

Es el método que aprendí del *gueshe* budista Michael Roach. Él aconseja ayudar a otros en *lo mismo* que necesitamos ayuda nosotros (exactamente en lo mismo); y así, ambos obtenemos lo que buscamos, funcionará para ambos. Pruébalo.

Ni siquiera hace falta que lo que le digas o hagas de resultados, porque lo que cuenta es la *intención* de ayudar (estás plantando *karma* positivo el cual germinará como una semilla productiva en tu vida). Y para hacerlo el *gueshe* Roach describió un método que te explico en la acción de confianza de abajo.

Y acabo este capítulo con una cita del inconmensurable libro *Un curso de milagros* (UCDM): «Siempre que pongas en duda tu valía, di: Dios Mismo está incompleto sin mí». Hasta ese punto eres valioso e imprescindible. Toma mi pañuelo y seca esa lágrima…

Resumiendo:

✓ *Superar las dudas sobre uno mismo es una habilidad que se adquiere, se aprende.*

✓ *No dudar es síntoma de ignorancia, las dudas son buenas cuando no nos inmovilizan.*

✔️ Una forma de superar la duda es tomar riesgos, actuar y aprender de los errores.

✔️ A la gente no le gustan los errores, no por sí mismos, sino porque tienen la autoestima baja.

✔️ Me gusta pensar, me gusta preparar, pero lo que más me gusta es actuar.

✔️ Empieza en ti, eres el epicentro de tus resultados.

Raimon

Acción de confianza:

Piensa en un problema o inseguridad que quieras vencer. Busca a otra persona que esté en esa misma situación (las encontrarás a montones).

Invítala a un café para hablar de su problema (no de los tuyos) y ayudarle a conseguir lo mismo que anhelas. Responde las preguntas que te gustaría que te respondieran.

Sé la ayuda que estás buscando.

Y cuando te acuestes ese día, piensa en la ayuda que le prestaste con tus consejos. Reconoce que semejante karma ha de ser beneficioso de alguna manera.

Y verás...

CAPÍTULO 11

EMPODERAMIENTO: EL SECRETO DE LAS PERSONAS EXITOSAS

LAS PERSONAS exitosas han tenido normalmente un pasado difícil. Y lo que sucedió después es que hicieron una «reinvención personal», una «reingeniería personal», y remodelaron la imagen de sí mismos y de los acontecimientos vividos. No permitieron que su pasado determinase su futuro. Eligieron ganar y descartaron el victimismo. Ese es el secreto de las personas exitosas. No lo han tenido fácil, en especial las mujeres, pero apelaron a la resilencia.

> Sí, todos pasamos por cosas realmente malas, algunos por cosas peores. ¿Y?

Intuyo que hace decenas de miles de años las sociedades humanas eran matriarcales pero se utilizó el modelo patriarcal para legitimar el uso de la violencia. No te quepa duda que todas las desgracias que le han ocurrido a la humanidad han sido arregladas de antemano para socavarla. No puedo explicarte por quién y la razón, pero puedes averiguarlo por tu cuenta. Pero también creo que el mundo está despertando al gran engaño masivo que ha vivido por milenios y siento que las mujeres están liderando el camino de ese despertar colectivo en la especie.

La historia no es como te la cuentan.

Las religiones son herramientas de control.

Los gobiernos son nuestros enemigos.

El génesis y la prehistoria son una tapadera.

Nuestro ADN fue hackeado.

La verdad está censurada.

Todas las enfermedades tienen cura.

La economía es un casino de trileros.

Todas las guerras son de diseño.

La democracia es un engaño.

La salud ha sido secuestrada.

Parte de la humanidad ya es transgénica.

No va de dinero o poder, sino de maldad.

Nada es lo que parece, sino todo su contrario.

La «ingeniería social» es un arma de control mental y manipulación de las élites oscuras para obtener el control de la humanidad. Ya no les motiva el dinero o el poder, sino el ejercicio de la maldad extrema. Se ha ocultado afanosamente el origen e identidad de nuestra especie para tratar así de eliminar nuestro poder innato. En las últimas décadas, la ingeniería social se ha vuelto más aguda con el auge de la tecnología, redes sociales y la sumisión de la clase política a la agenda transhumanista. El progreso tecnológico siempre es a costa de la libertad.

La ingeniería social se ha utilizado para influir en las actitudes y creencias de las personas a lo largo de la historia, y ahora más que nunca. El control mental se ha utilizado para manipular a las personas desde la antigüedad, y ahora más que nunca. Destruir nuestra identidad, nuestros valores y nuestra autoestima ha sido un trabajo en el que se han empleado a fondo. A la vista está que somos una de las generaciones más sumisas e infantilizadas. Nada es casual, mira a tu alrededor y verás patrones al servicio de una agenda.

Los mismos gobiernos utilizan la ingeniería social para influir en los ciudadanos para que cambien sus opiniones a favor de su agenda oculta. La ingeniería social está presente en todo el mundo porque solo hay un gobierno mundial entre bambalinas y su agenda tiránica. Los gobiernos de cualquier partido en el poder, solo hay un partido con diferentes nombres, han estado utilizando la ingeniería social durante siglos; su guerra con nosotros no es frontal sino camuflada.

Los gobiernos han utilizado la ingeniería social para influir en las creencias de los ciudadanos desde hace miles de años. Los gobiernos han usado la propaganda desde siempre. La ingeniería social siempre ha estado presente en la política, ya que los gobiernos siempre han querido que los ciudadanos piensen y hagan lo que aquellos que les mandan a su vez quieren. La destrucción de los valores, la dignidad, la libertad y la autoestima son objetivos de su deplorable agenda.

Hemos pasado de la «era de la información» a la «era de la propaganda». La censura está rabiosa como nunca antes para tratar de ocultar las más que evidentes señales de la transición programada de una raquítica democracia a una tiranía global de corte fascista. Y esto no es un hecho aislado en algunos países, sino en todos y cada uno de los países del planeta sometidos a la agenda fascista-satanista: N.O.M./Agenda 2030/Globalismo/Gran reset/Gobernanza mundial.

Dicha agenda transhumanista utiliza las agencias de tres letras y se sirve de perversas herramientas como: PLANdemias, ataques de falsa bandera, políticas de género, calentamiento global falso, tráfico de drogas, aborto-eutanasia, guerras locales y mundiales, terrorismo, supresión de tecnologías, modificación del clima, crisis económicas, deuda pública, *chemtrails*, despoblación, revoluciones de colores... etc. Te suena todo esto, ¿verdad?

La ingeniería social se ha acelerado en nuestros días gracias a la capacidad de la tecnología para difundir desinformación y *fake news* de forma rápida y sencilla. Sin embargo, esta ingeniería se ha usado a lo largo de la historia a través del control emocional (inculcación de miedo). El miedo es el arma de destrucción masiva que tan bien les ha funcionado, doblegando a las personas que ponen su fe en él.

Los gobiernos nos han declarado la guerra lavando el cerebro a la población. ¡La ingeniería social es poderosa porque es invisible y cambia la forma en que las personas piensan y actúan! Destruye las personas y las sociedades desde dentro. Engaña para que las víctimas se destruyan a sí mismas, o luchen entre ellas... les endosan el trabajo sucio. Y las sociedades caen en la trampa y se autoinmolan sin saberlo. Mientras la población duerma en la ignorancia, así sucederá y no hay nada que hacer. Los mundos esclavizados son muy frecuentes en el cosmos.

¿Qué tiene que ver todo esto con la autoestima? Pues que para llegar al autoconocimiento y la realización tienes dos enemigos que vencer: tu ego y la agenda satánica del NOM. No puedo contarte más, investiga por tu cuenta y descubrirás el nivel estratosférico de maldad que controla el planeta desde hace milenios. Investiga, eso es todo, no hacerlo ahora serla la causa de la esclavitud mañana.

No entiendo por qué no «puedes» explicar más al respecto. Te callas lo que sabes...

No es el tema de este libro, pero la razón verdadera es que no me creerías. La realidad es tan diferente a lo que parece, que descubrirla crearía un shock traumático. Si te dan una información, no la asimilas igual que si la descubres tú mismo poco a poco y recopilas tus pruebas. Si te lo dan, tienes que creértelo sin más y lo rechazas por ser demasiado doloroso; pero si lo encuentras, pieza por pieza, lo sabes...

¿Y qué es lo que tengo de buscar? ¿Y dónde?

Busca la verdad. Vives en un inmenso engaño, nada es lo que parece. Cuando despiertes del todo lo entenderás. Busca en cualquier medio no oficial o convencional allí solo hay propaganda. Puedes empezar por Amazon donde encontrarás muchos libros muy documentados. A los que quieren saber, les recomiendo leer cualquier libro de David Icke, o mejor todos sus libros. Su obra completa es la investigación de una vida y creo imprescindible su lectura para entender el inmenso lío en el que estamos metidos.

Cuéntame más, ¡venga!...

No servirá, créeme, debes investigar y obtener tus pruebas. Si te lo entrego sin más, simplemente no me creerías. La verdad supera la más descabellada de las ficciones. Debes averiguarlo por tu cuenta, hay información por todas partes, une los puntos. Despierta...

Es por todo esto que «despertar,» recordar nuestro origen y poder divino y levantarnos contra el abuso es vital para recuperar nuestra libertad y una humanidad feliz. Que el mundo no haya sido feliz hasta la fecha no tiene que ver con nuestra naturaleza, o nuestra supuesta incapacidad para serlo, sino que tiene que ver con la naturaleza oscura de los amos del mundo que se han empleado a fondo para sembrar la desgracia y el sufrimiento.

Históricamente, las mujeres han tenido que luchar muy duro por sus derechos y han enfrentado muchos obstáculos para alcanzar su máximo potencial. Como estamos en medio de una guerra milenaria entre el bien y el mal, el empoderamiento femenino no es solo un derecho natural, sino además una necesidad para la viabilidad de la humanidad.

 El empoderamiento femenino es el futuro de la humanidad.

El papel laboral de la mujer se ha liberado con el tiempo y ahora puede asumir cualquier trabajo tradicionalmente reservado a los hombres. Las mujeres también están iniciando negocios a un ritmo más alto que nunca. Son quienes leen y se cultivan más, quienes abrazan abiertamente el paradigma espiritual, y expresan la emotividad. Las mujeres están creando un contexto expansivo de la conciencia.

Y la autoestima es la vitamina que está creando esta recuperación.

Falta mucho, aún demasiadas mujeres se sienten atrapadas en los limitados roles que se les ha asignado para socavar su inmenso poder creativo. Vivimos en una tiranía patriarcal de diseño que nos enseña que la razón debe primar sobre la emoción.

Parte del plan globalista es debilitar a la humanidad para poder controlarla mejor y esclavizarla, además de menguarla. El concepto de «género» es un invento *fake* y la «guerra de sexos» una argucia para dividirnos y destruirnos. No caigas en la propaganda sobre el género, es programación mental de última generación y un lavado de cerebro.

Las mujeres representan la energía emocional que este «planeta prisión» necesita para liberarse de la tiranía globalista. El papel de la mujer es esencial para crear una sociedad consciente y despierta donde todos puedan prosperar y alcanzar su máximo potencial humano. Es esencial el empoderamiento femenino para alcanzar el máximo potencial en la especie y crear un mundo mejor para todos. Es la hora de la autoestima radical y la hora decir «basta» a las élites oscuras que abusan de la humanidad.

No tienes respeto por ti mismo cuando crees en lo que te ordena la autoridad sin cuestionarlo y va en contra del derecho natural. No tienes autoestima cuando callas ante el abuso del culto o secta globalista y acatas mandatos en apariencia absurdos pero planificados por una inteligencia muy superior a la humana. No tienes autoestima cuando entregas todo tu poder a quien te engaña y abusa.

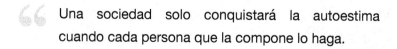

> Una sociedad solo conquistará la autoestima cuando cada persona que la compone lo haga.

Después de muchos años de tratar con personas en mi profesión, llego a la conclusión de que hemos sido víctimas de dos armas para desempoderar a la humanidad y someterla. Por un lado, los hombres han sido programados para inflar su ego y convertirnos en ignorantes emocionales. Por el otro lado, las mujeres has sido educadas para no quererse, y destruir su autoestima. El exceso de ego y la deficiencia de autoestima han sido dos estrategias muy efectivas para crear desgracia sin límites a la especie humana.

Arma 1 contra el hombre: ego y ambición inflados.

Arma 2 contra la mujer: destrucción autoestima.

Otra trampa en la que hemos caído es la «masculinización de las mujeres», es decir, hacer que las mujeres copiasen lo peor del hombre y abandonen lo mejor de la mujer. El papel de la mujer siempre ha sido esencial para la armonía social; sin embargo, se la ha forzado a copiar patrones toscos para embrutecernos. Amigos, nada sucede por casualidad, solo puedo decir que hay intereses muy oscuros empeñados en destruir nuestro poder, consciencia y libertad. Ya no van a por tu dinero, va a por tu alma. Somos una raza sometida y las armas psicológicas que se usan en nuestra contra son sutiles pero efectivas. De hecho, estamos luchando contra una «tecnología mental» que ni siquiera es de este mundo.

Créeme, hemos sido traicionados, y si no recordamos quién somos no recuperaremos el poder que tenemos. Es vital dar espacio al rol femenino ancestral. A día de hoy, siento decirlo, tengo la impresión de que somos protagonistas de una humanidad fallida. Y tengo serias dudas sobre la supervivencia de la raza humana en el planeta. Solo nuestro despertar y consiguiente liberación podrá crear un cambio de tendencia en este periplo de autodestrucción programada para la humanidad.

E insisto en que las mujeres encabezan el gran despertar y ello tiene que ver con su percepción espiritual de la vida. Una vida sin esa perspectiva solo puede conducir a la esclavitud y la miseria. Por suerte, las mujeres son más inteligentes emocionalmente y espiritualmente que los hombres. Y es ese el poder que nos llevará a una nueva era más luminosa.

Resumiendo:

✓ *El empoderamiento femenino no es solo un derecho, sino también una necesidad para el futuro de la humanidad.*

✓ *Las mujeres representan la energía emocional que este «mundo carcelario» necesita para liberarse de la tiranía de la maldad.*

✓ *El exceso de ego y la falta de autoestima han sido dos estrategias muy efectivas para crear conflictos y desgracias sin límites a los humanos.*

✓ *Solo nuestro despertar y liberación será capaz de cambiar la tendencia en este viaje de autodestrucción programada.*

✓ *El mal odia a la humanidad porque es la creación del amor.*

✓ *El concepto de «género» es falso y la «guerra de los sexos» es una estratagema para dividirnos y vencernos.*

✓ *El papel de la mujer siempre ha sido fundamental para la armonía; sin embargo, se ha visto obligada a copiar patrones toscos para socavar su poder.*

✓ *Todas las desgracias que han caído sobre la humanidad han sido planificadas para esclavizarla y diezmarla.*

✔ *La guerra contra la humanidad no es frontal y abierta sino soterrada y por la puerta de atrás.*

Raimon

Acción de confianza:

Escribe 3 hechos de tu vida en el pasado de los que te sientas orgulloso... anota las 3 claves de esos éxitos.

Ahora elige 3 formas de replicar esa emoción en 3 situaciones actuales.

Examina la totalidad.

A la vista de esta comprensión ¿qué harás con adicción a enjuiciarte?

CAPÍTULO 12
LAS RELACIONES TÓXICAS DRENAN EL AMOR PROPIO

LAS RELACIONES SON el eje de la vida; nos ayudan a sentirnos conectados. Y son el espejo en el que nos reflejamos, son «la escuela del corazón», nos ayudan a crecer. ¡Nos enseñan tanto! Sin embargo, algunas relaciones desesperantes pueden llevarnos a perder nuestra autoestima y poder personal, son el mayor reto y nuestra prueba de fuego. Las conocemos por «relaciones tóxicas» y drenan el amor propio (y agotan el poder personal y la autoestima).

Se definen como relaciones tóxicas las que se caracterizan por el abuso emocional, verbal y también físico, no tienen nada que ver con el amor. Estas relaciones suelen ser destructivas para la salud emocional y mental y física de ambos. El abuso puede variar desde ser un hecho aislado hasta ser un estado constante de abuso verbal y emocional.

Las relaciones tóxicas pueden ser difíciles de identificar porque se basan en mentiras y manipulación mental. El abusador a menudo, enfermo psicópata, controlará a la víctima a través del miedo y la intimidación. Usará la presión emocional para controlar los pensamientos y sentimientos de la víctima, y también sus comportamientos. Además puede llegar al abuso físico para lastimar a la víctima cuando está en modo agresivo.

Las relaciones tóxicas son difíciles de concluir porque el abusador suele ser muy hábil para «enjaular mentalmente» a la víctima en su manipulación. Estas relaciones te enseñan que vives y crees en el temor desde el cual es imposible entender qué es el amor verdadero. A todos los locos y locas que «quieren con locura» les diría que quieran menos y amen más. Que se lo hagan mirar...

Créeme, las relaciones tóxicas agotan la energía personal y nos hacen sentir atrapados en un callejón sin salida: no estamos bien ni solos ni acompañados (ni contigo ni sin ti). Son una pesadilla y pueden crear adicción en las personas sin autoestima ni amor propio, al convertirse en una droga que los destruye poco a poco.

Para evitar una relación tóxica, debemos ser conscientes de cuáles son los fines a los que sirve la relación, si es amor condicional o incondicional. Parece extraño pero muchas relaciones de pareja no tienen como fin la expresión del amor. Buscan completarse en la relación, pues creen carecer de algo que el otro puede aportarles. Como ambos buscan en el otro lo que se niegan a sí mismos, la relación no puede ser más disfuncional.

Fíjate en que el «yo» egóico —que se siente incompleto— busca en la relación a otro «yo» que supuestamente ¡le complete! No busca el bien del otro sino el suyo propio. Parece como si le faltase una pieza y la buscase en otra persona. Y entonces la relación se convierte en el substituto del amor, donde la autoestima agoniza. El ego cree que puede amar y odiar a la misma persona según juzgue conveniente pero el amor no puede juzgar.

Una relación tóxica es aquella que se entabla con alguien posesivo que «cosifica» a su pareja y que está constantemente celoso y posesivo. Este tipo de relación es denigrante; la persona celosa no está abierta a dar nada sino a exigir todo, es una estafa emocional. Resultan vampiros emocionales, controladores y manipuladores de su pareja. Psicópatas, y no te haces idea de cuantos hay sin diagnosticar. Este tipo de relación disfuncional genera conflictos, dolor emocional e incluso acaban en violencia física.

No hace falta que diga que es vital terminar cuanto antes este tipo de relaciones, mucho antes de que te arruinen la vida y te lastimen. Siempre he tenido claro que una relación es para estar bien, no para pasarlo mal. No aceptemos relaciones tóxicas ni siquiera por «amor con locura», pues nuestra autoestima es el precio.

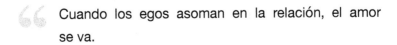 Cuando los egos asoman en la relación, el amor se va.

Atención, los egos de una pareja, tanto el de él como el de ella, pueden acabar con cualquier rastro de amor en la relación. Una relación no es una guerra de egos, eso es una pesadilla. El ego no puede amar porque no hay amor en él. Y tampoco puedes quererte menos que a la persona a quien quieres, o su ego rematará el trabajo de desmoronamiento que tú has empezado.

> ¿Entonces el ego dirige mis relaciones?

> Exacto, no nos guía el amor como pensamos, sino el ego. Las relaciones de pareja suelen ser una «guerra de egos» (conquista y posesión, ¿te suena?). Creo que mejor que «querer» a alguien, es mejor «amarle» porque da más espacio.

> Sí, entiendo el matiz, aunque a veces, necesito ver en esa persona algo fascinante, deslumbrante; y siempre busco que me «quiera con locura», como yo hago, y por encima de todo.

> Demasiado ruido. Cuidado con lo que deseas pues podría cumplirse: ¿quieres que alguien te quiera con locura o con cordura? A veces, es mejor querer un poco menos y desapegarse un poco más. Un amor más tranquilo. Cuando tu necesidad de recibir amor supera en mucho tu voluntad de amar sin condición, el ego está al mando y creará sufrimiento.

> Ya veo. No voy a poder amar más de lo que me amo así mismo, ¿verdad?

> Verdad.

Otro tipo de relación tóxica sucede cuando estás en una relación con alguien que constantemente te menosprecia. Las personas sin autoestima buscan y encuentran a otras que las castiguen por no quererse. En este tipo de relación, una persona se siente superior mientras que la otra persona se siente inferior, de algún modo se atraen el abusador y el abusado. En la pareja, todo es un juego de energías bien sean contrarias o complementarias. ¡Piénsalo!

Lee esto con atención: una relación es un pacto entre dos patrones de energía que generan atracción/rechazo. Imagina que ambas personas firman un contrato kármico con sus firmas energéticas las cuales poseen una vibración y un tono de luz determinados. Pues así sucede realmente. Todos tenemos un «nombre cósmico» por el que nos conocen nuestros guías y tenemos una «firma cósmica» que estampamos en todo lo que hacemos. Es un sello energético, y a la vez una llave energética, un rastro trazado en el campo akásico.

La relación tóxica egocéntrica es unilateral; una de las personas no está interesada en compartir sus sentimientos con la otra persona y exige amor y adulación. Solo le interesa situarse por encima de su pareja para saquearla emocionalmente. Debido a que este tipo de relación es tan desequilibrada, suele durar poco y es necesario terminarla lo antes posible. ¿Por qué amar a quien no te ama? Por escrito queda bastante claro pero es sorprendente ver cuántas personas suspiran por alguien que les ignora.

Otro tipo de relación tóxica sucede cuando estás en una relación con alguien que se aprovecha de ti y te exige más y más... te hace sentir mal por cualquier razón y bien por ninguna. No es una relación, es un saqueo emocional, un expolio al corazón. Este tipo de relación es dañina para ambas partes; conduce al resentimiento en ambos lados pues nadie está satisfecho.

Mi consejo es siempre decir «no» a lo inaceptable. Es un tema de dignidad sin ego y autoestima. No importa lo que ganes o pierdas, primero es la dignidad. El respeto es el vínculo natural entre el que es digno con el que es digno también. Nunca destruyas la belleza de tu dignidad porque entonces no te quedará nada. Aunque sé que puede ser difícil decir «no» incluso a lo inaceptable debido a la adicción al dolor (el victimismo es adictivo), lo inteligente es zanjar las relaciones tóxicas para que no te arruinen la autoestima, sino la vida.

Muchos problemas de autoestima aparecen tras relaciones desastrosas.

Aunque acabar una relación tóxica es siempre la mejor solución, a veces eso no es posible si la relación es familiar; pero incluso así, siempre es posible limitar el contacto tanto como sea posible para que no puedan lastimarte más. Es decir, dejar de frecuentarla, aún si es un familiar muy próximo, como un hermano o unos padres, con los que no hay modo de llevarse bien. Poner tierra de por medio suele funcionar cuando no hay un buen arreglo.

En general, es necesario terminar con las relaciones tóxicas cuanto antes para que la autoestima sobreviva a las relaciones abusivas. Aunque estas relaciones pueden ser difíciles de gestionar, rodearse de personas positivas ayudará a evitar que las relaciones tóxicas drenen tu energía y tu autoestima.

Imagina que estás en uno de mis seminarios y me preguntas: «¿Cómo deshacerse de las relaciones tóxicas?». Te respondería que dejases de frecuentar a quien te hiere. Así de simple. Te animaría a darte un respiro en la relación, rodearte de nuevas personas positivas que te apoyen y te hagan sentir bien; y, sobre todo, reforzar la dignidad sin ego y la autoestima propia. Aunque terminar una relación tóxica puede ser arduo, el dolor de la separación es poco en comparación con el daño a largo plazo que se podría recibir si la relación continuase. Ya conoces el dicho: «más vale solo que mal acompañado». Y no, no temas, no te quedarás solo...

...Nunca olvides que el mundo está lleno de personas interesantes, bondadosas, amorosas y nobles a las que amar. Que no las hayas encontrado no significa que no existan. Pídete más para ti, eso es autoestima en acción.

En resumen:

✓ Las relaciones abusivas pueden hacernos perder la autoestima y el poder personal.

✓ No todas las relaciones de pareja tienen como meta el amor.

✓ La persona celosa no está abierta a dar sino a exigir de su pareja.

✓ Cuando los egos aparecen en la relación, el amor desaparece.

✓ Los egos de una pareja pueden borrar cualquier rastro de amor en la relación.

✓ Muchos problemas de autoestima aparecen después de relaciones desastrosas.

✓ Es vital terminar este tipo de relaciones

tóxicas lo antes posible antes de que drenen la autoestima.

✔ No puedes amar más de lo que te amas a ti.

Raimon

Acción de confianza:

Escribe 3 relaciones tóxicas en tu vida personal y profesional que drenan tu energía...

Anota 3 de sus rasgos que también hay en ti y 3 veces en las que tú actuaste igual.

Examina la totalidad.

A la vista de lo expuesto, ¿qué decides hacer con esta nueva comprensión?

CAPÍTULO 13

PONER LÍMITES A LOS DEMÁS Y ROMPER LAS PROPIAS LIMITACIONES

VIVIR sin límites comporta perseguir tus sueños sin hacerte oposición a ti mismo. Es demoler toda supuesta limitación provenga de ti o de otros. Estás limitado únicamente por tu imaginación descontrolada y tu falta de atención en lo que de verdad quieres ser y su sentimiento asociado. Dale un par de vueltas a esta afirmación radical.

Vivir sin límites también significa ignorar las opiniones desalentadoras de los demás sobre qué no puedes ser, hacer y conseguir... Al aceptar una visión limitada, limitas tu poder para dar forma a tu vida como deseas. Poner límites a los demás es una forma de mostrar respeto por ti mismo y honrar tu grandeza. Es dignidad en acción y autoestima.

 Si los demás no saben quién son... ¿cómo van a saber quién eres tú?

A los diez años, el director de mi colegio me dijo que yo no escribía tan bien como para compartir lo escrito. Pero no le hice caso y hasta la fecha he escrito 38 libros, ganado dos concursos literarios y hoy vivo muy bien de mi profesión de escritor a tiempo completo. Y por cierto, nadie me enseñó a escribir, a falta de voluntarios, aprendí leyendo. A ese hombre le agradezco que me retara pero no acepté que me limitara.

¿Y tú?

¿Qué pronósticos insensatos has aceptado en tu vida?

Tal vez fue un padre, un profesor o un amigo quien recortó tus expectativas. Y lo hizo seguramente para «protegerte» del dolor de no conseguirlas. Sabe que no te hizo ningún favor, solo te prestó su miedo y lo aceptaste. Su opinión de ti era la proyección de sí mismo. Rechaza su miedo proyectado, es un obstáculo en el viaje que has emprendido hacia una vida sin límites.

 Di adiós al miedo: descubre tu coraje interior y toma decisiones valientes basadas en el amor.

Cuidado, no podrás protegerte con el miedo, solo te aterrorizará más de lo que ya estás. El amor no necesita protección porque es lo único real y por lo tanto nada real lo amenaza. Lo que es verdad siempre lo será y el tiempo lo acaba disolviendo las fantasías temerosas. El único límite es que no se puede servir a dos amos a la vez: el miedo y el amor. Debes elegir. Y cada decisión que tomas es una repetición de esta única elección.

Las personas proyectan en ti sus frustraciones y temores, así la humanidad entera vive una contagiosa epidemia de miedo, eso no les permite que se centren en el amor y mucho menos elaborar su autoestima.

¡Una epidemia de miedo! Qué buena metáfora...

Y es contagioso. Ahora tu tarea es sanarte a ti y dejar de formar parte de la cadena de transmisión. No aceptes sus miedos, no repitas sus errores, no copies sus limitaciones... y tú mismo te liberarás del contagio.

Ahora lo tengo claro: su falta de autoestima me contagió y tomé para mí lo que ellos me ofrecían: la ausencia de amor.

En efecto, ellos generosamente te ofrecían lo único que tenían: miedo, pero no tienes por qué aceptarlo. No es la clase de regalo que debas aceptar.

Ahora entiendo eso de que eran generosos. ¡Y conmigo lo han sido mucho, te lo aseguro!

Quiero manifestar aquí que muchas personas creen que no podrás conseguir algo simplemente porque ellas no pudieron. En el próximo minuto vas a aprender a poner límites. Di «no» al «no podrás» y al «no puedo». Niega el no. Rechaza su rechazo. Rechazar las supuestas limitaciones te ayuda a concentrarte en lo que es más importante: despertar al «Yo soy» y desplegar su poder creativo.

¿Yo soy qué? Soy capaz de crear.

En el camino, encontramos muchas interferencias por así decirlo al logro de nuestros sueños. Por ejemplo, el sistema te llevará a jornadas maratonianas de trabajo para que no tengas vida (aunque algunos padres eligen trabajar media jornada para poder dedicar más tiempo a criar a sus hijos). Otros padres prefieren trabajar desde casa para poder pasar más tiempo con sus familias. Esto es limitar las interferencias del sistema para una vida más plena.

Piénsalo, une los puntos... El sistema no trabaja para ti, sino contra ti; su objetivo es usarte, abusarte y tirarte a la basura. No seas ingenuo, ¿aún acudes a votar en sus elecciones «democráticas»? Pon límites a su manipulación tiránica. ¿No entiendes que van a por ti?

Poner límites a la intromisión de los demás te ayudará a concentrarte en lo que es importante para ti: tu vida. Escuchar opiniones está bien; pero hay que escuchar además la voz de tu corazón y ver qué dice al respecto. ¡Escúchate más! El corazón sabe quién eres y recuerda la magnitud de tu poder.

Aquellos que no se conocen, tampoco te reconocen. Viven en una fantasía de limitación autoimpuesta y proyectan ese mismo paradigma a los demás para su consuelo. ¿Te suena la envidia? Pero todos tenemos diferentes prioridades y necesitamos enfocarnos en ellas en lugar de en el miedo de los demás.

A la inversa, no caigas en el error de decirles a los demás qué pueden o no pueden hacer y conseguir. Nadie lo sabe, ni ellos mismos lo saben. Si quieres eliminar las interferencias de los demás en ti, deberás dejar de entrometerte en sus posibilidades en correspondencia. Los censores acaban siendo censurados por la atracción del miedo por el miedo. Recuerda que el amor nunca juzga.

No cometas el error de pensar que puedes deshacerte de tus limitaciones endosándoselas a los demás. Porque es dándoselas a otros precisamente como lo conservas para ti. La fantasía de que proyectando fuera de ti tus limitaciones las eliminas, comporta conservarlas y reafirmarlas para ti.

Dice UCDM: «Solo tú puedes limitar tu poder creador, aunque la Voluntad de Dios es liberarlo. No es Su Voluntad que te prives a ti mismo de tus creaciones». Así de simple.

El objetivo del miedo es separarnos de nuestra identidad divina que, aun siendo imposible, puede lograr confundirnos. El objetivo del amor es lo contrario: unir toda la creación con la Fuente creadora. Así como existe la atracción del miedo por el miedo, también existe la atracción del amor por el amor. Tú eliges, miedo o amor, y lo que ofrezcas será lo que recibas. Y has de saber que el amor hace que lo que tú has limitado sea ilimitado.

Y aún si ves que alguien sucumbe al temor y la limitación, has de saber que no podrás corregirle aunque sí inspirarle con tu ejemplo personal. El ejemplo arrastra. Dicho esto, descarta cualquier expectativa sobre la mejora de los demás, cada persona debe vivir según su propio plan de evolución. No hay una forma correcta ni un *timing* correcto, cada uno tiene diferentes prioridades y tiempos y va a su paso.

Vivir sin límites te ayuda a organizar tu vida de acuerdo con tus valores y prioridades. Por ejemplo, algunas personas priorizan la salud por encima de lo demás y se toman su tiempo para cuidarse. Otros priorizan pasar tiempo con otros miembros de la familia en vez de ganar dinero con un segundo trabajo o horas extras... Cada persona tiene valores diferentes que les ayudan a elegir qué es lo más importante en su vida. Por lo tanto, vivir sin limitaciones es una forma de apostar por las propias prioridades y valores en la vida.

 Ser coherente con los propios valores disolverá las supuestas limitaciones.

Vivir sin límites permite a cada persona vivir como elige, y a relativizar las opiniones de los demás sobre cómo debe vivir su vida. Es una forma de empoderarse. Cuando tomas la decisión de no poner fe en tus dificultades, se producirá un cambio inmediato y se transmutarán. Cada persona debe, tarde o temprano, disolver sus limitaciones para poder llegar al centro del Ser y dejar de luchar con sus opiniones respecto a sí mismo y los demás.

Has de entender que atacar tus supuestas limitaciones es luchar contra ilusiones que tú mismo has inventado. No puedes ganar una guerra irreal pues al creer que es posible has decidido que la derrota también es posible. Tú lo inventaste todo —tus limitaciones— y después atacas tus invenciones inexistentes. ¿Entiendes el error? «No puedo» es un concepto irreal en la mente confusa de un ser completo que cree carecer de poder.

Autoestima = Poder personal

Volviendo a establecer límites a los demás, cuando nos respetamos, al no tolerar el abuso físico, emocional o de comportamiento... reafirmamos nuestro poder personal. La baja autoestima es el resultado de no reconocer nuestro propio valor y, por lo tanto, al aceptar las imposiciones de los demás renunciamos al poder personal. Cuando dejamos de aceptar el abuso, nuestra autoestima aumenta porque empezamos a valorarnos y recuperamos el poder.

Por otro lado, algunos creen que respetar a los demás significa que siempre debemos estar de acuerdo con ellos. Sin embargo, estar de acuerdo con alguien todo el tiempo hará que perdamos la propia estima y eventualmente nos hará sentir resentidos con esa persona. En su lugar, es mejor discrepar respetuosamente cuando sea necesario para que ambos protejan sus los puntos de vista.

Esto solo puede suceder si nos afirmamos y les hacemos saber a los demás cuándo están cruzando nuestros límites o líneas rojas. Si continúan faltándonos el respeto, después de haberles informado sobre nuestros límites, es hora de encontrar nuevos amigos o terminar la relación por completo; ya que, obviamente, no les importan nuestros sentimientos lo suficiente como para que nosotros nos preocupemos por los suyos.

Al establecer límites a los comportamientos que son abusivos o perjudiciales para ti, puedes mantener un alto nivel de respeto por ti mismo y dignidad en lugar de tolerar relaciones o situaciones destructivas. Tus deberes para hoy son definir claramente qué es inaceptable para ti y después mantenerte firme en esa convicción.

Permitir que las personas no respeten tus límites puede causarte un daño irreparable a la larga, no te hagas eso, no lo mereces, quiérete un poquito más. Respétate a ti mismo y enseña a los demás cómo establecer límites respetuosos sobre el comportamiento inapropiado ¡con tu propio ejemplo! Les ayudarás a hacer lo propio y a que se sientan bien consigo mismos. Una vez más, no se trata de lo que puedas perder ya que nuca te deberías perder a ti mismo.

Resumiendo:

✓ *Vivir sin límites significa demoler las supuestas limitaciones que ves en ti o ven los demás.*

✓ *Al aceptar una visión limitada, limitas tu libertad para evolucionar.*

✓ *El efecto del amor es unir todas las cosas con la Fuente creativa.*

✓ *Poner límites a los demás es una forma de mostrar respeto por ti mismo y honrar tu grandeza.*

✓ *Rechazar las limitaciones que te imputan te ayuda a concentrarte en tu poder.*

✓ *Di «no» al «no puedes» y al «no puedo».*

✓ *Los que no se conocen a sí mismos tampoco te reconocen a ti.*

✔️ No puedes ganar una guerra irreal contra las supuestas limitaciones porque al creer en ellas has decidido son reales.

Raimon

Acción de confianza:

Toma papel y lápiz y haz estas listas: qué cosas has hecho en contra de tu voluntad, cuáles son los reproches que te han hecho, qué te dijeron que no hicieras, cuáles son las críticas que has recibido, en qué has sido engañado...

Ahora anota a su lado que respuesta distes a todo ello. ¿Reaccionaste activamente o pasivamente? ¿Hay culpables y víctima? ¿A parte de ti, alguien lo recuerda o piensa en ello?

Deja que las respuestas floten a tu alrededor durante unos días.

Vuelve a esto pasados unos días y busca comprensión.

A la vista de esta comprensión ¿qué harás con adicción a enjuiciarte?

CAPÍTULO 14
CONECTAR CON EL NIÑO INTERIOR Y LA DIVINIDAD

MUCHAS PERSONAS TIENEN VÍVIDOS recuerdos de la infancia, y algunas además recuerdan flashes de su estado antes de nacer. La mayoría de estos recuerdos son de una vida pasada como otra persona o de un estado interdimensional. Estos recuerdos son el rastro de nuestra naturaleza tanto finita como eterna.

Somos humanos finitos en el sentido de que vivimos una experiencia mundana temporal y somos divinos en el sentido de que poseemos una naturaleza espiritual eterna que nos conecta con el universo y la Fuente creadora. Estamos en este mundo y sin embargo no somos de él. Me cuesta entender cómo tantísimas personas reniegan de su cualidad espiritual, no deja de asombrarme como se reducen a tan poco. ¿No es eso falta de autoestima?

Para comprender esta dicotomía, recuerda cómo te sentías cuando eras niño; tenías una capacidad de asombro y de conexión con todo lo que te rodeaba, ¡parecías un recién llegado al planeta Tierra! ¡un turista del cosmos! Poco a poco, fuiste perdiendo esa sensación de asombro y también de conexión con la Fuente a medida que te hiciste adulto; sin embargo, volver a conectarte con tu «niño interior» puede ayudarte a recuperar esa conexión espiritual con el centro del cosmos y tu origen.

 Todos tenemos la huella divina de la Fuente creativa.

Ese niño o niña que habita en ti, nunca se fue, permanece a la espera de tu atención. Ese niño o niña que sigues siendo es la parte de ti que reconoce la divinidad creadora; y su inocencia es el camino para reconectarte con la Fuente. Tuviste prisa por crecer, abandonaste esa inocencia y hoy sabes que renunciar a ella disolvió el encanto y la magia que estás buscando. La buena noticia es que no has perdido tu inocencia, está en un rincón de tu corazón.

Ese niño o niña interior es tu embajador en el cosmos. No le ignores, él o ella solo te tiene a ti y confía en ti. Eres «su avatar» y nunca te fallará. Siempre está asomado a tu vida, te habla dulcemente, reconocerás la voz a la que llamas intuición. Es la voz de la divinidad en tu corazón. Si le tomas de la mano te llevará de vuelta al amor.

Es muy fácil oír esa voz, basta con acallar las discusiones que mantienes en tu mente de adulto. Por una vez, despréndete de tu armadura oxidada y que de tan poco te ha servido. Sencillo como rendirse al amor. Basta de estar en pie de guerra, empieza a jugar, la vida es un juego.

En su indefensión encontrarás la fortaleza de la seguridad. Detrás del ruido de la mente adulta está la vocecita cálida de tu niño o niña interior que te reclama como compañero de juegos. Y ese infante, que eres tú, es lo más cerca que estarás de la divinidad mientras andes por este mundo.

La conexión es diferente en unas personas y otras, puedes comprobarlo o bien en sus ojos vívidos o bien en su mirada apagada. Es una forma de medir cuán cerca o cuán alejados viven de su niño interior. Hay vidas en blanco y negro; y otras en color... pero todos podemos acceder a nuestra naturaleza esencial a través de prácticas meditativas o de interiorización o tras una experiencia transformadora.

Solo necesitas reconocer tu naturaleza espiritual para acceder a la sabiduría interior. Para ello has de creer, como hacen los niños, en la magia. Y te conviertes en mago.

> A veces sí que me he sentido un mago, pero la mayoría de veces siento que la magia me ha abandonado.

> Así ocurre cuando te desconectas de tu ser espiritual. Creo que nos olvidamos de quién somos y entonces nos olvidamos de lo que somos capaces. Perdemos todo el poder.

> Lo sé, y cuando medito a diario, siento que restablezco esa conexión que me devuelve la confianza plena en mí. Sube mi autoestima.

Pues ahora te diré algo muy importante: la magia sucede a través de ti, no proviene de ti. Tú eres el canal de un poder superior que eliges activar en tu vida. Por esa razón todos los milagros proceden del amor, no de nosotros.

Te has quedado pensativo y sin palabras... Por el momento quédate con que eres un puente para que el amor —del ámbito espiritual— se materialice en el ámbito material. Estamos en medio de un experimento cósmico donde la luz disuelve la oscuridad.

Pues no imagino un propósito más importante...

Una vez más, he de insistir en esto porque siempre me he preguntado: ¿cómo pueden sobrellevar su vida las personas con una percepción materialista de la vida? La conexión con nuestro ser esencial interior es principal, especialmente cuando no encontramos sentido a las experiencias mundanas.

La conexión espiritual nos ayuda a ver las cosas con claridad para que podamos tomar mejores decisiones en nuestra vida. También nos ayudan a construir relaciones significativas con otras personas. El «paradigma espiritual» es el puente entre tus preguntas y las respuestas que estás buscando.

Conectarse con el «Yo real» ayuda a sentirse completo porque el «Yo espiritual» siempre está en paz sin importar lo que suceda en la vida mundana. Como dije, aunque estás en este reino, no eres de este reino. Lo invisible determina lo visible, como es adentro es afuera, el espíritu conforma la materia. Pero la humanidad, hipnotizada con los efectos, ha olvidado las causas de sus experiencias. Y si las ha encontrado, las niega. Los humanos cometen este error una y otra vez: rechazan los medios pero desean los fines. Niegan el proceso mientras esperan el resultado.

Qué distinto sería trabajar en las causas… pues entonces los efectos estarían obligados a cambiar.

Esta es la gran ilusión: el «Yo mundano» es una confusión con respecto a la verdadera identidad esencial. El «Yo egóico» es una elaboración o fabricación irreal, es un avatar. Dentro de ese sueño no hay solución al sufrimiento. La solución al sufrimiento no es revolcarse en él, es la investigación de su causa. Hasta que no entiendas *quién* sufre, no podrás liberarte del dolor emocional.

Cuando nos sentimos desconectados del Yo espiritual, generalmente es porque estamos estresados y elegimos no tener presente aquello que ya sabemos. Sufrimos un capítulo de amnesia. Ten claro que el estrés es temor, y el temor nos aleja del amor, y por tanto, nos separa de la Fuente.

¿Deseas conocer tu identidad real? Empieza por conectar con el niño que fuiste una vez, eso es lo más cercano que has estado a la Fuente que te creó. A menos que te vuelvas inocente como un niño, no podrás entender tu relación con la Fuente creativa. Hay una contraseña y es una frecuencia vibratoria, la que de un infante inocente y amoroso. No será lo que hagas lo que te reconecte a la divinidad, sino lo que eres o la frecuencia que emites.

Para acceder a los secretos del cosmos debes vibrar a la misma frecuencia de lo no revelado, esa es la protección que se estableció para evitar que seres no preparados accedieran al poder del conocimiento pleno. Si alguien aún cree que una baja autoestima no interfiere en su experiencia es que no ha entendido nada y está prisionero del paradigma materialista.

Si me preguntas algún método para reconectarse con el niño o niña interior es tan fácil como respirar conscientemente, pasar tiempo en la naturaleza, reí a menudo o hacer algo que nos haga felices... También puedes reunirte con tu niño o niña interior a través de una sencilla visualización en la que viajas mentalmente a un momento de tu infancia y te abrazas. Así de simple.

 En ti hay un infante que busca volver al amor del que proviene.

Tal vez esa sea la razón por la que la Biblia nos dice que nos volvamos como niños. Será porque los niños admiten que no entienden el mundo que perciben y, por lo tanto, preguntan continuamente cuál es el significado de las cosas. Solo el adulto desconectado comete el error de creer que entiende el mundo pues su entendimiento se basa en sus fantasías.

Siempre vuelvo a la relectura de UCDM para recordar qué dice al respecto de lo que deseo comprender: «Este Niño que mora en ti es el que tu Padre conoce como Su Hijo. Este Niño que mora en ti es el que conoce a Su Padre. Anhela tan profunda e incesantemente volver a Su hogar, que Su voz te suplica que lo dejes descansar por un momento. Tan solo pide unos instantes de respiro: un intervalo en el que pueda volver a respirar el aire santo que llena la casa de Su Padre. Tú también eres Su hogar. Él retornará. Pero dale un poco de tiempo para que pueda ser Él Mismo dentro de la paz que es Su hogar, y descansar en silencio, en paz y en amor. Este Niño necesita tu protección. Se encuentra muy lejos de Su hogar».

De pequeño, recibiste muchas negativas, juicios, ofensas, insultos, etc. que drenaron tu confianza en ti mismo, mermaron tu autoestima. Sin duda un niño herido será un adulto con baja autoestima, a menos que haga un trabajo de recuperación. Es hora de reparar todo eso, y puedes hacerlo en un instante si entiendes tu naturaleza divina. Es una cuestión de percepción nada más.

Si estás interesado en profundizar, puedes investigar la «técnica switch» de la PNL que es muy efectiva para hacer un cambio rápido de emociones basadas en acontecimientos del pasado. La idea básica es que la creencias actuales se fijaron en su día con unas palabras e imágenes y del mismo modo se pueden descodificar hoy con otras palabras e imágenes. En un chasquido de dedos. Pruébalo.

No puedes cambiar tu infancia pero puedes cambiar la interpretación de lo ocurrió en ella. Puedes tirar a la basura todos esas palabras que te hirieron. Lo que sucedió ya pasó, pero lo que te cuentas hoy al respecto está ocurriendo ahora y eso siempre puede cambiarse. ¿Ves dónde está el poder de elegir?

Conectar con tu niño interior son tus deberes de hoy para vivir una vida armoniosa. Es fácil perder el contacto con tu dimensión espiritual como adulto pues todo está diseñado para que sea así; sin embargo, reconocerte a mismo te devolverá el poder personal. Si deseas aumentar tu autoestima tienes una cita con tu niño interior pendiente, en esa cita cita vas a decirle cuánto le amas y que todo va a salir bien. Abrázalo, escúchalo, bésale.

¿Qué harás hoy para que tu niño interior sea feliz?

Resumiendo:

✓ *La conexión con nuestro ser interior es algo que necesitamos cuando nos sentimos angustiados o no encontramos sentido a las experiencias.*

✓ *La conexión espiritual nos ayuda a ver las cosas con claridad para que podamos tomar mejores decisiones.*

✓ *Conectarse con el « Yo real» nos ayuda a sentir felicidad.*

✓ *Todos tenemos un potencial ilimitado, ya que todos tenemos acceso al « Yo divino».*

✓ *No puedes cambiar tu infancia, pero puedes cambiar la interpretación de lo que pasó en ella. Lo que te dices a ti mismo al respecto está sucediendo ahora.*

✓ *El yo inventado es una confusión con respecto a tu verdadera identidad.*

✓ *Solo el adulto desconectado comete el error de creer que comprende el mundo porque su comprensión se basa en su delirio de miedo.*

✓ *Un niño herido será un adulto con baja autoestima si no hace algo al respecto.*

✔ *Todos tenemos la huella divina de la Fuente creativa.*

Raimon

Acción de confianza:

Echa un vistazo a alguna de tus fotos de cuando eras ese niño o niña inocente, cierra los ojos, respira y recuerda el niño o niña que fuiste una vez.

Háblale con amor: «Sé que sigues ahí, ignorado y abandonado. Te amo y cuidaré de ti, te escucharé siempre, todo va a salir bien». Exprésale tu amor incondicional.

¿Cómo te sientes como adulto? ¿Cómo te sientes como niño que eres?

A la vista de lo expuesto, ¿qué decides hacer con esta nueva comprensión?

- MORE Water
- B-12
- Sleep better

- Alexis Ingersol -

CAPÍTULO 15

EL CÓDIGO DE LA AUTOESTIMA: AUTOCONOCIMIENTO, AUTOCONCEPTO, AUTOCONFIANZA

Y LLEGAMOS al nudo de la cuestión. Si has leído atentamente hasta aquí te será fácil entender el Código de la autoestima, en caso contrario solo te desconcertará. Si llegaste a este capítulo directamente: vuelve a la casilla de salida y pierdes tres tiradas por impaciente.

Recuerda que cada capítulo tiene una práctica a completar que te conducirá suavemente a la integración de todas las piezas que forman el pavimento del camino a la autoestima radical. No olvides tampoco que la propuesta de leer este libro es hacer las paces contigo mismo y dejar de sabotear tu vida. Y la autoestima es la clave para conseguirlo. Todo aquel que no siente paz interior, se está atacando a sí mismo en una guerra civil que no puede ganar.

Aplicar los principios de este libro requiere que cuestiones todos los juicios previos que has hecho sobre ti, hacer tabla rasa y desaprender para poder aprender. Ni uno de tus juicios puede quedar sin ser examinado y cuestionado, de lo contrario el trabajo sería parcial e insuficiente. Y entonces las mismas dudas volverían a aparecer bajo otra forma y en otra situación.

> Ya estamos llegando al final de esta lectura, dime por favor tres claves para conseguir la autoestima de una forma sencilla, entendible y que funcione...

> Te daré tres pasos que seguidos y en orden descifran el «Código de la autoestima». Este es un secreto de sabiduría espiritual que siempre ha estado a la vista de todos pero muy pocos han reconocido porque creyeron que el problema de autoestima tenía una solución mental y no espiritual.

> Soy todo oídos...

> Sé todo corazón... Sigue leyendo y te lo expondré de la mejor manera que sepa...

Déjame contarte un secreto. Has de saber que hay tres llaves, que combinadas, activan el Código de la autoestima.

Son:

1. El autoconocimiento
2. El autoconcepto
3. La autoconfianza.

Cada una de estas llaves, pilares... o como quieras llamarlos, tiene un papel diferente en el proceso de alcanzar la autoestima. Y deben activarse en este mismo orden. Trabaja en eso y el cosmos se sumará a tus esfuerzos. Haz lo propuesto, usa esas tres llaves, y deja los resultados en manos de la inteligencia que te creó. Haz tu parte y deja el resto al incognoscible.

Código autoestima = autoconocimiento + autoconcepto + autoconfianza

Conocimiento del alma, creencias de la mente y confianza del corazón... ayudan a una persona a creer en sí misma para hacer lo que sabe que puede hacer con la capacidad que se reconoce. Por lo tanto, este libro propone activar los tres pasos de la autoestima en tres dimensiones: espiritual, mental y emocional.

Eres un ser multidimensional en medio de una dimensión, la 3D, material. Y tu trabajo en ese espacio multidimensional se reflejará en tu vida mundana. Debes tener claro que no entenderlo así es lo que ha hecho fracasar tus intentos de elevar tu autoestima. Estabas trabajando en la zona de los efectos pero en la de las causas que los crean. ¿Entiendes bien este punto? Es la base de todo.

Ser multidimensional = espiritual + mental + emocional

Cuando combinas estas tres dimensiones y las enfocas como un rayo láser a la manifestación de tus deseos, entonces eres simplemente imparable e infalible. Lee mi anterior libro *El*

Código de la manifestación para entenderlo. ¿Y la dimensión material? Bien, es la menos importante de todas, es simplemente una pantalla de cine donde proyectas estas tres dimensiones, y es el lugar donde transcurre lo que llamas tu vida.

Pero examinemos cada una de las tres llaves que abren las tres dimensiones desde las que NO amarse es del todo imposible.

El autoconocimiento consiste en el poder de conocer tu verdadera naturaleza y cuál es el propósito en la vida (despertar al «Yo real»). Este conocimiento proviene de reconocer el Ser esencial de naturaleza espiritual que has sido, eres y serás. No importa cuántos avatares finitos utilice tu espíritu infinito.

Conocerse a uno mismo es esencial para tener una buena autoestima. El trabajo aquí es deshacerse del yo minúsculo o ego (al que nunca podrás amar) para llegar al «Yo real». De esta manera, dejas de autoengañarte tratando de forjar una personalidad artificial (ego) y de malgastar la energía en defender esa ilusión inventada.

Te has disociado de tu identidad espiritual, eligiendo una identidad material inventada. Pero no puedes reemplazarte por menos de lo que eres. El amor que te ha creado perfectamente, conoce tu valía y no permitirá un sustituto del amor. Volver al amor es el propósito de tu vida.

El autoconcepto es la percepción que una persona tiene de sí misma. Una imagen es solo una imaginación en la mente confundida, pero no es la Verdad. Detrás de cada imagen que has inventado para ti está aguardando la Verdad a ser descubierta. Y cualquier autoimagen que esboces de ti mismo es una caricatura de tu retrato original.

El secreto en esto es pasar de la *percepción* o interpretación de ti mismo al *conocimiento* el cual es verdadero y no está sujeto a interpretaciones cambiantes.

Tal vez has decidido reinventarte, y has probado construir una autoimagen mejorada, para descubrir otro día que tu identidad real está más allá de lo mejorable por ti. No hay un Yo que mejorar. Eres tal como fuiste creado, y siempre lo serás, a pesar de lo que decidas inventar a cerca de ti. Tu identidad real te concede el poder del cosmos y, sin embargo, la imagen desfigurada de ti mismo que has inventado te lo quita.

Si una persona mira a otra y se siente menos, ella misma se está robando su herencia divina.

Las personas que no se sienten bien con ellas mismas desconocen su identidad. Por lo tanto, el autoconcepto que inventan es un vano intento de sustituir quien son y lo que piensan de sí mismos.

La autoconfianza en sí mismo es el efecto natural de reconocer la multimensionalidad humana y la asistencia y guía que recibimos por la inteligencia que nos lleva en brazos. Nada puede destruir tu confianza y certeza en que todo va a salir bien si reconoces a cada instante la divinidad que te está susurrando a tu espalda.

La confianza es la consecuencia natural del autoconocimiento y del autoconcepto combinados que te ayudan a definir quién eres y cómo te percibes. La confianza en sí misma te permite avanzar en la vida porque sabes que un poder mayor te guía a descubrir y lograr tu propósito. Y ya no malgastas tu tiempo en tratar de vivir aislado, a solas, abandonado a tu suerte, sin la ayuda del cosmos.

La confianza es posible cuando reconoces las leyes por las que se rige el cosmos, que se basan en el amor puro. La confianza se muestra al dar la misma respuesta a lo que parecen ser diferentes problemas mundanos. La respuesta del amor. Pero mientras se crea en las «soluciones» del miedo no es posible confiar en nada ni en nadie, ¡incluido uno mismo!

Y este es el «Código de la autoestima» automática en tres pasos:

Primero descubre quién eres (en efecto, no lo sabes aún), cuando conozcas la naturaleza divina de tu ser espiritual ya no perderás tiempo en autoevaluar el avatar que utilizas en esta vida.

Segundo, en ese momento tu autoconcepto se elevará más allá de la condición y la experiencia humana como semilla estelar. Ya no te percibirás como una persona aislada en una vida mundana, sino como amor encarnado en esta dimensión material.

Tercero, llegarás a la confianza de saberte arropado por un poder inconmensurable que te protege y te asiste desde el primer aliento de tu vida, de hecho te lleva en brazos, y su guía es más de lo que cualquier padre pueda hacer por su hijo.

Recapitulando, una vez más para que quede claro, una persona que...

- ... conoce su identidad espiritual

- ... eleva su autopercepción al amor
- ... confía en el poder que le guía.

Esa persona solo puede amarse y fundirse en el amor del que es una obra maestra. No hay miedo, no hay duda, no hay desamparo... Llegaste al centro de ti mismo donde es imposible no amarse y no confiar. En realidad, no tienes que hacer nada de nada, salvo recuperar tu verdadera identidad. El Código abre una puerta interior que conduce a tu Ser real.

¿Crees que el Dios amoroso en el que crees iba a odiarse a sí mismo? Entonces, ¿por qué iba hacerlo aquel que es su hijo infinitamente amado por Él? Piénsalo. Si crees que hay una sola razón para odiarse, te reto a que me lo demuestres, pero en caso de carecer de argumentos reales te animo a desistir de esa actitud.

Y bien, es hora de que cierres este libro; no sin antes dejar de lado todas las percepciones erróneas que has forjado de ti mismo con anterioridad y que no te han funcionado para alcanzar la anhelada paz interior. Nadie te enseño a amarte; de hecho, tus maestros eran personas que tampoco se amaban a sí mismas. Pero ahora conoces el Código de la autoestima. Tienes un método y un anhelo... y es hora de cumplirlo. Y zanjarlo de una vez por todas porque hay otros retos mayores frente a ti.

Llegó el momento de deshacerse de todas las ideas preconcebidas de ti mismo que te han empequeñecido pues son la causa de tu falta de autoestima. Llegará un día en que abandonarás todos los pensamientos sobre ti, ya no los necesitarás. Creíste que mejorando tu cuerpo, tus logros, las opiniones ajenas... ibas a quererte un poco más, pero lejos de conseguirlo llegaste a desesperarte al no obtener resultados. Castigarte con no amarte, boicotearte, ignorarte, no ha borrado ni uno de esos juicios equivocados sobre ti. El Código de la autoestima lo hará.

La buena noticia que tengo para ti al final de esta lectura es que no has perdido tu identidad o *quién* eres, solo la olvidaste; y esta lectura te ha recordado cuál es tu origen divino y de dónde procedes. Eres un ser sembrado aquí en la Tierra desde las estrellas por los creadores.

Es hora de que entiendas que tú no te has creado a ti mismo (no sabrías cómo hacerlo) y que ninguna versión de ti (tus múltiples egos inventados) podrá conducirte a la verdad de tu esencia. Sabes que fuiste creado —en el principio del no tiempo— por el amor absoluto; y por esa razón, está en ti la semilla de la perfección absoluta. La creación está perfectamente terminada y tú solo puedes manifestarla.

Ahora que sabes cuán amado eres, ves al mundo y muestra el amor que eres.

Resumiendo:

✔ *Tres pasos combinados activan el Código de la autoestima: el autoconocimiento, el autoconcepto y la autoconfianza.*

✔ *El propósito de leer este libro es hacer las paces contigo mismo y dejar de sabotearte.*

✔ *Cualquiera que no sienta paz interior se está*

atacando a sí mismo.

✔ La confianza activa es el poder de apoyo más grande que puedas imaginar.

✔ Es hora de deshacerte de todas las ideas preconcebidas sobre ti mismo que te han empequeñecido.

✔ Fuiste creado —al principio del no tiempo— por la perfección y por ello la perfección está en ti.

Raimon

Acción de confianza:

Hay un ejercicio de UCDM que funciona muy bien. Para ello no se requiere hacer nada, excepto que prescindas de la imagen de ti mismo sea positiva o negativa...

Olvida todos los atributos, tanto buenos como malos, que te hayas adjudicado a ti mismo. Pon el marcador a cero.

Cierra los ojos y repite: «Aún soy tan perfecto como fui creado».

Y llegarás a la conclusión de que ni siquiera necesitas de la autoestima porque ya sabes quién eres y de dónde procedes.

CONOCE AL AUTOR

Webs del autor:

www.elcodigodeldinero.com
www.raimonsamso.com
www.institutodeexpertos.com
www.tiendasamso.com
http://raimonsamso.info
https://payhip.com/raimonsamso
https://linktr.ee/raimonsamso

Síguele en:
Canal Telegram: Raimon Samsó oficial (real)
https://t.me/sabiduriafinanciera

📷 instagram.com/raimonsamso
▶ youtube.com/Raimonsamso
📌 pinterest.com/raimonsamso

EL CÓDIGO DE LA DISCIPLINA

MÁS AUTOESTIMA Y MENOS AUTOSABOTAJE

AUTOESTIMA
ON

AUTOSABOTAJE
OFF

RAIMON SAMSÓ

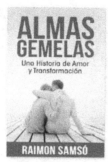

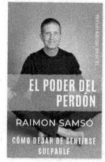
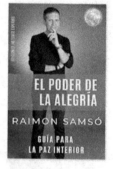

AGRADECIMIENTOS

🎁 **TU REGALO: en este enlace**

https://payhip.com/b/MdiWh

descárgate el pdf del mapa de El Código de la Autoestima con 45 tips de autoestima. 🎁

TE PIDO UN FAVOR

Quisiera pedirte un favor para que este libro llegue a más personas, y es que lo valores con tu opinión sincera en la plataforma donde lo hayas comprado. Y que si te gustó leerlo, lo recomiendes a tus conocidos.

He de delegar en los lectores el marketing del libro porque en este mismo momento ya estoy deseoso de empezar a escribir un nuevo libro para ti.

Bendiciones.

CPSIA information can be obtained
at www.ICGtesting.com
Printed in the USA
LVHW021532070423
743784LV00015B/617